確かな力が身につく

Python

「超」入門

著=鎌田正浩

第2版

JN112056

本書に関するお問い合わせ

この度は小社書籍をご購入いただき誠にありがとうございます。小社では本書の内容に関するご質問を受け付けております。本書を読み進めていただきます中でご不明な箇所がございましたらお問い合わせください。なお、お問い合わせに関しましては下記のガイドラインを設けております。恐れ入りますが、ご質問の際は最初に下記ガイドラインをご確認ください。

ご質問の前に

小社 Web サイトで「正誤表」をご確認ください。最新の正誤情報を下記の Web ページに掲載しております。

▶ **本書サポートページ**

`URL`　https://isbn2.sbcr.jp/13723/

ご質問の際の注意点

・ご質問はメール、または郵便など、必ず文書にてお願いいたします。お電話では承っておりません。

・ご質問は本書の記述に関することのみとさせていただいております。従いまして、○○ページの○○行目というように記述箇所をはっきりお書き添えください。記述箇所が明記されていない場合、ご質問を承れないことがございます。

・小社出版物の著作権は著者に帰属いたします。従いまして、ご質問に関する回答も基本的に著者に確認の上回答いたしております。これに伴い返信は数日ないしそれ以上かかる場合がございます。あらかじめご了承ください。

ご質問送付先

ご質問については下記のいずれかの方法をご利用ください。

▶ Webページより

上記のサポートページ内にある「お問い合わせ」をクリックすると、メールフォームが開きます。要綱に従って質問内容を記入の上、送信ボタンを押してください。

▶ 郵送

郵送の場合は下記までお願いいたします。

〒105-0001
東京都港区虎ノ門2-2-1
SBクリエイティブ　読者サポート係

はじめに

　初版の刊行から、海外も含めて本当に多くの方に購入していただいたおかげで、今回第2版を上梓する機会をいただきました。第2版では、時を経て古くなった例や題材を刷新し、最新のものにしています。また初版から時間が経っても変わらなかった本質の価値の部分は、よりわかりやすく、そして楽しさを伝えられるように、編集の方と改良を重ねてきました。

　はじめに、本書の執筆に私が情熱をもって取り組んできた理由をお話させてください。

　私がプログラミングに初めて触れたのは大学生のときで、「プログラミングが出来るのはかっこいい！」という憧れを強く持っていました。よく分からないながらも書いたプログラムが、最初に動いたときの感動はよく覚えています。しかしそれ以降、プログラムの難しさに何度も挫折し、気がつくとプログラミング自体が好きではなくなっていました。学生だった当時は、将来の仕事もプログラミングとは関係のない職業にしようと考えていたのを覚えています。

　そんな私が再びプログラミングに魅力を感じたのは、実際に人が使うシステムを作ったときです。自分の手で、現実の世界において意味のある（必要とされる）ものを生み出せるおもしろさを知りました。そのプログラム自体はきれいなものではなく、プロが見たらひどいものだったと思います。しかし、それは確かに動いていて、人の役に立っていました。そのときの出来事がなければ、エンジニアという職業を選ばず、今とは別の人生になっていたと思います。

　本書はそんな自分の経験から、プログラミングに興味を持って取り組み始めた方に、なんとかおもしろさを感じられるところまで到達してほしい！という思いを込めて執筆しました。説明で使うプログラムも、現実の世界にあるシステムや、そこにつながることが想像できるものにして、何のためにこの機能が存在していて、それが実際どのように役に立つのかという、まさに"過去の自分に教えたいこと"をベースに構成しています。ぜひ肩の力を抜いて、Pythonでプログラミングを楽しんでください。そして、この本を読み終えるまでのどこかで、プログラミングの楽しさやおもしろさの気配だけでも感じていただけたら、筆者としてこれ以上うれしいことはありません。

　プログラミングがエンジニアだけのものではないこの時代に、この本が、読者の方の今後の人生の可能性を少しでも増やしてくれるものであったら、とてもうれしいです。プログラミングの楽しさをこの本で見つけてください。

謝辞

　書籍の執筆に必要な、ばくだいなエネルギーと時間は、家族の協力なしには到底、捻出することはできませんでした。ここに妻と二人の息子へ、心からの感謝を残しておきたいと思います。本当にありがとう。

Contents

Chapter 2 Pythonプログラミングをはじめよう 39

Chapter 3 プログラミングの基本編　仕組みを使おう　81

Chapter 4 プログラミングの応用編　効率的に作ろう　135

Chapter 6 さまざまな機能を取り込もう 201

アプリケーションを作ろう

7-1 tkinterを使ったGUIプログラミング 256
　tkinterはじめの一歩 256
　部品を画面に置いてみよう 258
　packメソッド以外の場所の指定方法 262
　buttonを画面に置いて、ボタンを押したときの反応を作る ... 264
　部品の種類を知ろう 265
　メニューを表示する 272

7-2 tkinterと外部ライブラリを組み合わせてアプリを作ろう ... 277
　qrcodeパッケージ 277
　QRコード生成プログラム 279

7-3 tkinterとWebAPIを組み合わせてアプリを作ろう ... 286
　メトロポリタン美術館のWebAPIの紹介 286
　基本のURLで情報取得する 287
　美術作品の検索 287
　メトロポリタン美術館の作品を閲覧するアプリ 289
　アプリプログラムの解説 291
　まとめ 307
　美術館アプリをカスタマイズしよう 310

付録
Appendix A

Appendix1 トラブルシューティング エラー 314
Appendix2 本書の次のステップ 320

索引 323

イントロダクション

この章では「Pythonとは何か?」というところから解説していきます。皆さんのパソコンで
Pythonのプログラムを試すためには、実行環境の準備も必要です。OS（Windows ／ Mac）
やOSのバージョンによって作業手順が異なりますので、ご自分の環境にあったインストー
ル・設定を実行していきましょう。

1-1

Pythonをはじめよう

ここでは、Pythonについてかんたんに紹介していきます。早く本題に入りたい！という方はここを飛ばして**1-2**に進んでも大丈夫です。

Python ってなに？

この本を手に取った皆さんは、おそらく「Pythonをはじめよう！」という方しかいないと思いますので、Pythonがプログラミング言語だということはご存じですね。Pythonは1990年代初頭に、オランダ人の開発者、グイド・ヴァンロッサム（Guido van Rossum[1]）によって開発されたプログラミング言語です。Pythonという名前は、イギリスのコメディアンのグループ「モンティ・パイソン」から取って名付けられました。Pythonとは日本語で「ニシキヘビ」を意味します。ロゴマークにヘビが描かれているのはそのためです。

Pythonの特徴

プログラミング言語にはCやC++、Java、COBOL、そしてPHPやPerl、Ruby、JavaScriptなどなど、たくさんの種類があります。これらの言語はいずれも現在使われている有名なものなので、皆さんも名前くらいは聞いたことがあるかもしれません。このようにいくつものプログラミング言語がこの時代に共存しているのは、それぞれに違った特徴があるためです。目的や、何を重視するのか（開発効率、演算速度など）、あるいはユーザーの好みで、使われる言語は選ばれています。Pythonにはいくつもの特徴がありますが、しいて一番大きな特徴をあげるとすると、それはプログラムの読みやすさです。その特徴から、一番初めに学ぶのに最も良い言語といわれています。実際、アメリカで情報工学のコースを持つ大学でも、最初に教える言語としてPythonを選ぶ学校が最も多いようです。他にも、教育用に開発された小さなPCボードRaspberry Pi（ラズベリーパイ）ではPythonを開発言語として推奨しています。世界でプログラミングを覚える最初の言語として選ばれているということです。

[1]　Twitterアカウントもあります。
　　URL https://twitter.com/gvanrossum

Fig Raspberry Pi

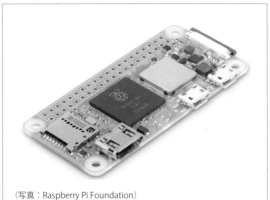

（写真：Raspberry Pi Foundation）

このような小さな基板にディスプレイやキーボードを接続して、
パソコンとして使うことができます。

　Pythonの読みやすさは、言語のシンプルさからくるものです。シンプルと聞くと、「単純なプログラムしかできないのでは？」と思われてしまうかもしれませんが、そんなことはありません。これからこの本でPythonでできることを具体的に説明していきますが、Pythonをメインの言語として活用しているのはGoogleやDropbox、NASAなどの世界的に有名な企業や団体で、Pythonは高度な計算や、さまざまな要素が高い水準で求められる開発にも使われています。筆者も仕事で、画像を解析するシステムの開発にPythonを使っていました。そのシステムは現在もサービスで動き続けています。

Pythonのコミュニティについて

　Pythonには、Pythonが好きな人、使っている人、興味を持っている人たちによるコミュニティがあります。そのコミュニティによってPyCon（Python Conference）というイベントが世界各国で開催されています。日本でも年に1回開催されていて、チュートリアル（ハンズオン形式でPythonの技術を学ぶ）やトークセッションなどが行われ、Pythonユーザーたちによる交流が行われています。他にも、日本のいくつかの地域では、その地域のPythonユーザー達が集まり、勉強会を行って交流しています。Pythonが好きな女性同士での勉強会や交流のための、PyLadies Tokyoというコミュニティもあります。どのコミュニティも、初めは参加することにハードルが高く感じられるかもしれません。しかし、いざ勇気を出して参加してみると、新しい発見や、素晴らしい人たちとの出会いによって良い刺激を受け、自分もよりがんばろうという気持ちになるはずです。勉強会でスピーカーになるには話すためのネタが必要になりますが、話を聴きに行くのに技術力は関係ありません。ぜひ一度参加してみてください。

Pythonのバージョンについて

　Pythonというプログラミング言語は現在も開発が行われ、進化し続けています。既存の機能がより便利になったり、新しい機能が追加されたり、処理が高速になったりと、まだまだ進化の途中です。この書籍では、執筆時点の2021年末での最新のバージョン3.10で動作確認をしていますが、みなさんはこの本を手にとった時点での最新のバージョンのPythonを利用してください。

　ちなみに、バージョン番号が3から始まるPythonは、Python3系と呼ばれ、バージョン番号が2から始まるPythonは、Python2系と呼ばれていました。2系と3系の間には大きく仕様が異なる部分があり、Pythonユーザーが2系から3系に簡単に移行ができなかったため、2系と3系が様々な場所で同時期に利用され続けていた時期がありました。そんな2系ですが、2020年でサポートが終了したので、みなさんは迷うことなく3系を利用して学んでください。なお、インターネット上には、その時の名残でPython2系の記事もたくさん存在しているので、何かを調べるときに見つけたページで利用されているPythonのバージョンには気をつけてください。

Table　Pythonのバージョンとリリース日

バージョン	リリース日
3.10	2021/10/04
3.9	2020/10/05
3.8	2019/10/14
3.7	2018/06/27
3.6	2016/12/23

1-2

Pythonの実行環境を作ろう

　Pythonを始めるには、Pythonの実行環境を作らなくてはいけません。お使いのOSに応じて、以下の手順にしたがって環境をととのえていきましょう。

 ## Windowsの場合

◆ Pythonのインストール

　Pythonの公式サイトからインストーラーをダウンロードするところから始めましょう。

1 Pythonの公式サイトにアクセスします。

`URL` https://www.python.org/

Fig　Python公式サイト

2 上部タブの[Downloads]にマウスカーソルをのせると、下にメニューがプルダウン表示されます。右側の[Download for Windows]から[Python3.10.0][1]をクリックすると、ダウンロードが始まります。

※1　バージョンは新しくなっていくので、3.10.0よりも大きい数字に変わっている可能性があります。

Fig　上部［Downloads］の上にカーソルをのせるとメニューが出る

③ ダウンロードが完了したら、インストーラーを実行します。ダウンロードされた［python-3.10.0 〜 .exe］をダブルクリックします。

④ インストーラーが起動したら、一番下の［Add Python 3.10.0 to PATH］のチェックボックスをチェックした後、［Install Now］をクリックします。

Fig　インストーラーの画面

⑤ ［ユーザーアカウント制御］のアラートダイアログが表示されたら［はい(Y)］をクリックします。

Fig　ユーザーアカウント制御

6 [Setup was successful]が表示されたら、インストール完了です。[Close]をクリックして
インストーラーを閉じます。

Fig インストールの完了

◆ 動作の確認

インストールが完了したら、Windowsに標準でインストールされている**コマンドプロンプト**を
使って確認します。

1 左下のWindowsマーク（窓マーク）をクリックし、[検索]メニューを選択して、検索欄に
「cmd」と入力します。コマンドプロンプトというアプリが表示されたら、それをクリックし
て起動します。

Fig Windows10で検索

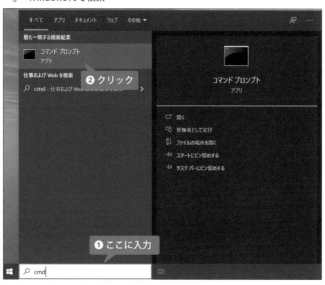

7

コマンドプロンプトは、Windowsに最初からインストールされているプログラムです。コマンドプロンプトを起動すると次のような画面が表示され、ユーザーフォルダ名に続けて>と、右隣には点滅しているカーソルがありますね。そこにキーボードからテキストを入力することができます。

Fig　コマンドプロンプトの画面

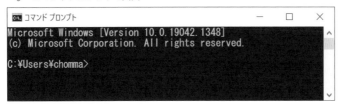

③ 「python␣--version」と入力し、Enterキーを押します。バージョンが表示されればインストールに成功したことが確認できます。

Fig　Pythonのバージョンが表示された！

 ## macOSの場合

♦ Pythonのインストール

　MacにはPythonが標準でインストールされていますが、大抵の場合、より新しいバージョンがリリースされているので、最新のバージョンをインストールして利用しましょう。

① Pythonの公式サイトから、インストーラーをダウンロードします。

　URL　https://www.python.org/

Fig Mac用インストーラーのダウンロード画面

2 ダウンロードしたpkgファイルを開くと、インストール画面が開きます。

Fig Mac用インストーラー画面

3 説明を確認しながら[続ける]を押して進めてください。

Fig Mac用インストーラー確認画面

途中、使用許諾の同意／非同意を選択する画面が表示されます。

Fig 使用許諾の同意画面

「インストール先の選択」も、特に問題がなければそのまま進めてください。

Fig インストール先の選択

④ インストール先のディスク容量に十分な空きがあれば［インストール］をクリックして進めます。

Fig インストール先の選択

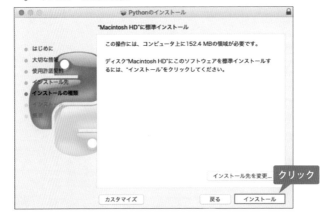

⑤ 途中、管理者パスワードを要求されたら入力してください。管理者パスワードはMacを起動した際のログイン時に使用しているパスワードと同じものです。

⑥ この画面が表示されればインストールは無事完了です。[閉じる]を押して終了します。

Fig　Mac用インストーラー完了画面

⑦ 最後に"python"のインストーラーをゴミ箱に入れますか？と聞かれるので[ゴミ箱に入れる]をクリックして終了です。

Fig　ゴミ箱の表示

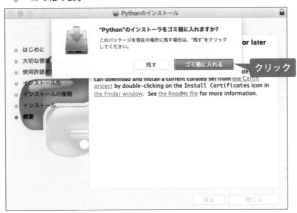

◆ 動作の確認

　インストールしたPythonが使えるかどうかを確認してみましょう。Mac に標準でインストールされている**ターミナル**というアプリが、「アプリケーションフォルダ」の下の「ユーティリティーフォルダ」の中にあります[※1]。起動すると次のような画面が表示され、$マークの右横で点滅している場所へ、キーボードからテキストの入力ができます。

※1　見つからないときは、画面右上の虫めがねアイコンから、Spotlight検索で「ターミナル」と入力して探してください。

Fig ターミナル画面

　この画面に「python3␣--version」と入力して、[Enter]キーを押してください。先ほどインストールした3系のバージョンが表示されます。

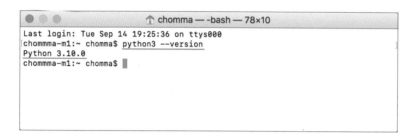

　なお、「python␣--version」と書くと筆者の環境ではPython2.7.16という数字が表示されます。こちらはMacに標準でインストールされているバージョン2系です。

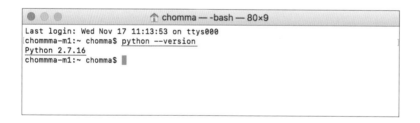

　このように、「python3」と指定するとPython3系、「python」とだけ入力するとPython2系として実行されることを覚えておいてください。Python2系は2020年4月にリリースされたバージョンを最後に、今後セキュリティの対応なども行われないため、利用しないようにしてください。Macのバージョンによっては、「python」と入力すると、Python3を利用するように警告が表示されます。

　また、その際にコマンドライン・デベロッパーツールのインストールを求められることがあるので、表示にしたがってインストールしてください。

1-3

Pythonプログラムを
実行するには

Pythonでプログラムを実行する方法は3通りあります。

1. **インタラクティブシェル**という機能を利用して、1行ずつ実行していく方法
2. **プログラムをテキストエディタなどに書いて保存したファイルをPythonコマンドに渡して実行する方法**
3. IDLE（Integrated DeveLopment Environment）というPython付属のソフトを使う方法

ここで3つとも解説しておきます。本書ではわかりやすさのため、基本的にインタラクティブシェルを使って説明をしていきますが、他の方法でも大きな違いはありません。なお、テキストエディタについて「特に今使っているものがない」という方は、本節の最後で紹介しているVisual Studio Codeをインストールして、そちらを利用してください。

 Pythonのインタラクティブシェルを利用して実行する方法

1-2のときと同様に、Windowsならコマンドプロンプトを起動して「python」と入力し、Macならターミナルを起動して「python3」と入力してください。すると何行かの後に>>>という記号が表示されます。

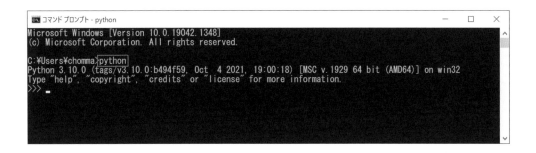

この記号>>>の右側にプログラムを1行ずつ書いて Enter キーを押すと、そのプログラムを実行できます。試しにやってみましょう。

```
>>> print('hello world')  ↵
```

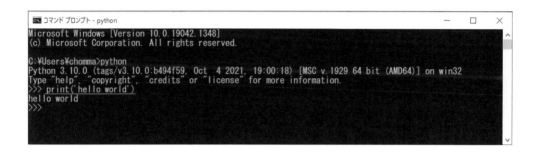

hello worldと表示されましたね。

インタラクティブシェルを終了するには、「exit()」と入力して Enter キーで実行するか、 Ctrl キー + Z キーを同時に押し、^Zが表示されたら Enter キーを押します。すると、先ほどまで表示されていた>>>がなくなり、インタラクティブシェル起動前の状態に戻ります。

 Pythonコマンドにプログラムファイルを渡して実行する方法

Visual Studio Codeなどのテキストエディタを使って、先ほどインタラクティブシェルで実行したプログラムと同じものを入力します。そして、「hello.py」という名前で保存します。

```
print('hello world')
```

※ Windows環境でテキストファイルを保存する際、文字コードはUTF-8を選択してください。

Fig　文字コードはUTF-8

　hello.pyというファイルができたら、コンソール（Windowsならコマンドプロンプト、Macな
らターミナル）を起動しましょう[※1]。インタラクティブシェルを開いている人はexit()を入力し
て終了してください。そのコンソール画面にpythonまたはpython3と入力してから␣半角ス
ペースを入力し、hello.pyをドラッグ＆ドロップすると、hello.pyファイルの場所が表示さ
れます。Enterキーを押すと実行されます。hello worldと表示されれば成功です。

Fig　実行した結果

```
C:. コマンド プロンプト                                         ―    □    ×

Microsoft Windows [Version 10.0.19042.1348]
(c) Microsoft Corporation. All rights reserved.

C:¥Users¥chomma>python C:¥Users¥chomma¥python_text¥hello.py
hello world

C:¥Users¥chomma>_
```

※1　それぞれの起動方法については**1-2**「動作の確認」を参照してください（Windows➡p.7、Mac➡p.11）。

IDLEを利用する方法

　IDLE（アイドル）は、Pythonに標準で用意されている開発環境アプリケーションです。インタラクティブシェル（➡p.13）を実行するのと同様に、IDLE上でもインタラクティブシェルを実行することができる他、ファイルにPythonのプログラムを書き出し、それを実行するといったことも可能です。コンソール上でインタラクティブシェルを実行するときとの違いは、入力したPythonのプログラムが文法ごとに色分けされて表示される点です。この機能は「シンタックスハイライト」と呼ばれ、プログラムを書くときや読み返すときに見やすかったり、スペルが間違っていたときには色が変わっていないことで見つけやすくなる、といったメリットがあります。

　ちなみに、このIDLE自体、本書の最終章で紹介する「tkinter」というライブラリを使ってPythonで実装されたプログラムです。

◆ Windowsの場合

①　コマンドプロンプトを起動したときと同じように、Windowsスタートメニューの「プログラムとファイルの検索」欄に「IDLE」と入力すると、検索結果が表示されます。

Fig　IDLEの検索結果

② クリックしてIDLEを起動します。

Fig　起動直後のIDLE

```
IDLE Shell 3.10.0                                    −  □  ×
File Edit Shell Debug Options Window Help
    Python 3.10.0 (tags/v3.10.0:b494f59, Oct  4 2021, 19:00:18) [MSC v.1929 64 bit (AMD64)] on win32
    Type "help", "copyright", "credits" or "license()" for more information.
>>> |

                                                           Ln: 3  Col: 0
```

◆ Mac の場合

① Finderを開いて、画面左の［よく使う項目］から［アプリケーション］を選択すると、画面右側
にアプリケーションの一覧が表示されるので、そこからPython3.10のフォルダを探して開い
てください。

※フォルダ名はバージョンによって異なります。

Fig　アプリケーションの一覧

② Python3.10のフォルダの中にあるIDLE.appをダブルクリックして起動してください。

Fig　Python3.10

Fig 起動直後のIDLE

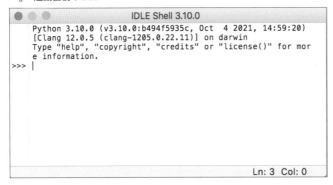

Macの画面右上の虫眼鏡のアイコンから、Spotlight検索機能で、「IDLE」と入力して検索することもできます。

Fig Spotlight検索

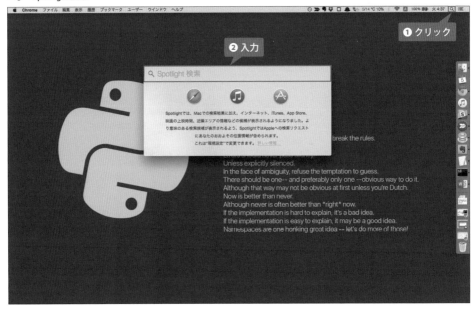

◆ 一行ずつ実行する方法

IDLEを起動すると同時にインタラクティブシェルが立ち上がります。コンソール上で起動したインタラクティブシェルと同様に、Pythonのプログラムを一行ずつ入力して実行することができます。

◆ ファイルに書き出して実行する方法

IDLEのメニューバーにある [File] から [NewFile] を選択すると、Pythonのプログラムを書くための画面が新規作成されます。この新規作成したファイルにPythonのプログラムを書いて保存し、メニューバーにある [Run] から [Run Module] を選択すると、このファイルに書いたプログラムを実行することができます。

 ## Web上の開発環境について

自分のパソコン上でプログラムを実行する方法について前項で説明しましたが、ブラウザ上（ChromeやFirefox、Microsoft Edgeなど）でプログラムを実行できるサービスもあり、ブラウザが利用できる環境であればどこでもプログラムを試すことができます。なお、いずれもWebサービスなので、執筆時点での動作は確認していますが、将来的に利用できなくなる可能性があります。

◆ paiza.io

日本語で説明が書いてあるので、使い方がわかりやすいです。

Pythonをはじめ、Ruby、PHPなど31言語に対応しています。

URL https://paiza.io/ja

◆ AWSCloud9

多くの言語に対応しているのと、複数人でプログラムを編集できるなどの高度な機能も多く揃えています。

URL https://aws.amazon.com/jp/cloud9/details/

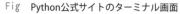

♦ Python 公式サイト

　Pythonの公式サイトにもかんたんな実行環境が用意されています。少し見つけづらいのですが、トップ画面の中ほどに表示されている黄色いボタンを押してしばらく待つと、Pythonを実行できる画面が表示されます。こちらは他のサイトと違って、Pythonのインタラクティブシェルの機能を強化したIPythonと呼ばれる実行環境です。インタラクティブシェルと同様の方法で使うことができます。

`URL` https://www.python.org

Fig　Python公式サイトのターミナル画面

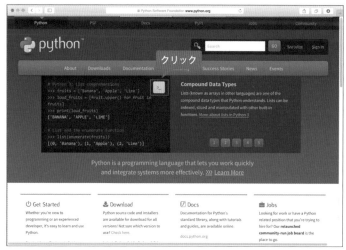

Visual Studio Codeのインストール

　WindowsやMacには、テキストファイルを作成するためのテキストエディタ（Windowsならメモ帳、Macならテキストエディット）があらかじめインストールされています。それらを使ってPythonプログラムのファイルを作ってもよいのですが、文字コードやファイル形式によってはうまく動作しないこともあります。そこで、かんたんに操作できて使いやすいエディタ、Visual Studio Codeを紹介します。

　Visual Studio Code（略してVS Codeとも呼ばれる）は、Microsoftが開発、公開しているプログラミング用のエディタで、現在開発者の中で最もシェアを持っているツールです。Pythonだけでなく、主要なプログラミング言語の多くに対応しており、様々な拡張機能をインストールして自分好みの道具にカスタマイズしていける楽しさと便利さを持つおすすめのエディタです。

▶ Visual Studio Code

URL https://azure.microsoft.com/ja-jp/products/visual-studio-code/

上記リンク先にアクセスし、［今すぐダウンロード］のボタンからダウンロードページに移行し、自分の環境に合わせてインストーラーを選択してください。

※ Windowsの場合は［Windows］、Macの場合は［Mac］ボタンとなります。

◆ Windowsの場合

① ダウンロードしたzipファイルを、ダブルクリックで実行します。

　使用許諾の確認は「同意する」を選択して、［次へ］をクリックします。

② スタートメニューフォルダや、追加タスクの選択は特にこだわりがなければ［次へ］をクリックします。

③ インストール準備完了が表示されたら、［インストール］をクリックします。

④ セットアップウィザードの完了が表示されたら、［完了］をクリックします。

⑤ Visual Studio Codeが起動し、初期の画面が表示されます。右下に「表示言語を日本語に変更するには言語パックをインストールします。」という表示があるので、「インストールして再起動」を選択してください。

⑥ 再起動すると各種メニューが日本語になっているので、表示を読みながら好きな設定を行ってください。特にこだわりがなければ、「色のテーマを参照する」ボタンから、エディタのデザインを好きなものに変更するくらいで良いと思います。

♦ Macの場合

① VSCode-darwin-universal.zipというファイルがダウンロードされます。Zipファイルをダブルクリックなどで解凍すると、Visual Studio Code.app のファイルが見えるようになります。

② Visual Studio Code.appをダブルクリックすると、初回のみ、「このアプリを開いても良いか」というポップアップが表示されるので、「開く」を選択してください。

③ Visual Studio Codeが起動し、初期の画面が表示されます。右下に「表示言語を日本語に変更するには言語パックをインストールします。」という表示があるので、「インストールして再起動」を選択してください。

④ 再起動すると各種メニューが日本語になっているので、表示を読みながら好きな設定を行ってください。特にこだわりがなければ、「色のテーマを参照する」ボタンから、エディタのデザインを好きなものに変更するくらいで良いと思います。

Visual Studio Codeの使い方

◆ 入力する

2回目以降、Visual Studio Codeを起動すると「作業の開始」というタイトルのページが表示されます。このページの「新しいファイル…」から「テキストファイルビルトイン」をクリックしても良いですし、メニューバーのファイルから、「新規ファイル」を選択すると、タブが増えて新しいページが表示されます。

Fig ［新しいファイル］から開く

Fig ファイルメニューから開く　Windows

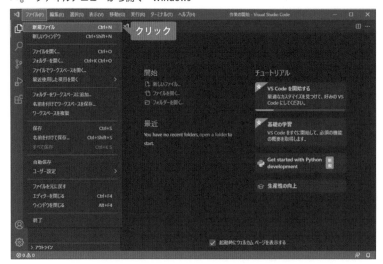

Fig　ファイルメニューから開く　Mac

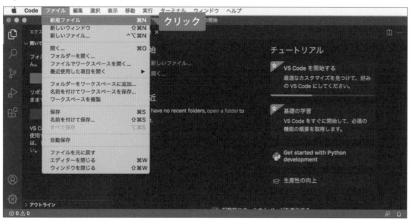

♦ プログラミング言語の設定

　ページ上部に、「言語の選択を選択します」と表示されるので、ここをクリックし、Pythonと入力すると、Pythonのプログラミングをサポートしてくれる機能をインストールすることができるので設定しておきましょう。

Fig　言語の選択1

Fig 言語の選択2

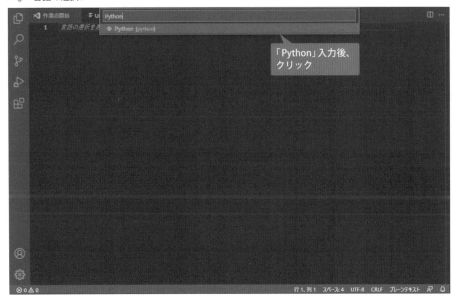

Fig 言語の選択3

Fig　インストール後

◆ 保存する

　最初の設定が終わってしまえば、普通のテキストエディタと同様に、ページにプログラムやテキストなどを入力し、保存してください。また、新規保存するときにはPythonのプログラムのファイル名をつけることになりますが、ファイル名の末尾の拡張子を**.py**とするのを忘れないようにしてください。

Fig　Windowsで保存

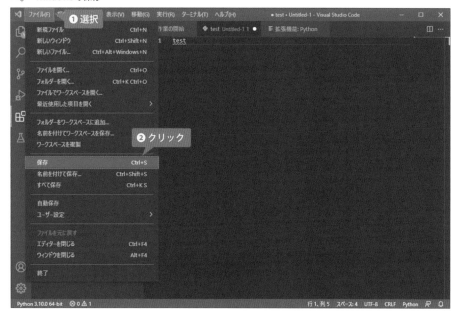

Fig Macで保存

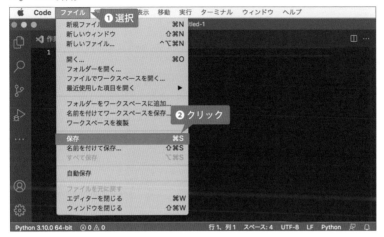

 ## はじめてのPythonプログラミング

　それではさっそく、Pythonのインタラクティブシェルを使ってプログラムを書いてみましょう。Windowsならコマンドプロンプト、Macならターミナルを起動してください。まだ何も説明していないので、英単語を並べているだけに見えるかもしれませんが、ひとまず次の通りに入力して、1行ごとに ↵ (Enter キー) を押してください。

Interactive Shell

```
(ユーザーフォルダ名)>python ↵ ●━━━━━━━━━━━━━━━━━━━━━━━━ Macではpython3
(バージョンの表示など)
>>> import␣calendar ↵
>>> print(calendar.month(2022,5)) ↵
```

Interactive Shell

```
      May 2022
Mo Tu We Th Fr Sa Su
                   1
 2  3  4  5  6  7  8
 9 10 11 12 13 14 15
16 17 18 19 20 21 22
23 24 25 26 27 28 29
30 31
```

␣半角スペースになっているところは、基本的に見たまま半角スペースを入れないといけません。また、calendarはスペルミスしやすい単語なので、注意して入力してください。

ちょっとでも間違って入力しているとSyntaxErrorが表示されます。「SyntaxError」は、プログラムの構文に何かしらの間違いが存在するときに表示されるエラーです。どこが間違っているかは^で示されるので、注意して見てみてください。

▶ 最後のカッコが1つ多いミスの場合

```
>>> print(calendar.month(2022,5)))
  File "<stdin>", line 1
    print(calendar.month(2022,5)))
                                ^ ───────────── ↑矢印のように間違いの箇所を示している
```

キーボードで↑キーを押すと、つい先ほど入力した文字が再び現れます。少しの修正であればぜひ活用してみてください。

わずか3行で、カレンダーが表示できました。1行目はPython3のインタラクティブシェルを起動しただけなので、プログラム自体は2行です。

まず「import␣calendar」で、Pythonのカレンダーにかかわるプログラムの機能を呼び出しました。そして、次の行で、カレンダーの月を表示する機能を使って、2022年5月のカレンダーを表示しました。つまり、今書いたプログラムの数字を変更して、「calendar.month(2022,6)」とすると2022年6月のカレンダーを、「calendar.month(2021,7)」とすると2021年の7月のカレンダーを表示することができます。

◆ インタラクティブシェル上でいったんリセットするには

インタラクティブシェル画面では、文字入力だけで操作していきます。そのため、皆さんが普段使っているショートカットキー、たとえば Ctrl + c キー（コピー）や Ctrl + v キー（ペースト）が使えない場合がほとんどです。もしインタラクティブシェル上で「間違って入力してしまった」「意図せず変な表示が出てしまった」となったときは、 Ctrl + c キーを押せば現在の処理を中断してインタラクティブシェルをリセットさせることができます。

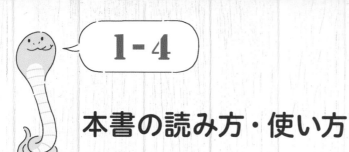

本書の読み方・使い方

 本書の要素

♦ コンソール

Windowsでは、コマンドプロンプト、Macではターミナルというアプリケーション名で標準インストールされています。

詳細は5章で説明しますが、パソコンをテキスト入力で操作できるアプリケーションです。

本書では主に、

1. Python インタラクティブシェルの起動

2. プログラミングに必要なものをインストールするコマンドの入力

3. 自分で書いて保存したPythonプログラムのファイルの実行

という3つの用途で利用します。

本書では、ピンクのヘビの枠はコンソールに入力する内容です。

 Console

```
C:¥Users¥kamata>cd Desktop ↵

C:¥Users¥kamata¥Desktop>
```

◆ インタラクティブシェル

本書では、主にインタラクティブシェルを使ってPythonのプログラムを実行していきます。

インタラクティブシェルは、みなさんのパソコンに最初からインストールされているコンソール（コマンドプロンプトやターミナル）から呼び出すことができる、Pythonを1行ずつ実行する環境です。

黄色いヘビの枠はインタラクティブシェルを表しています。本書は実習しながら「確かな力が身につく」方式ですので、この部分は読んで理解するだけでなく、実際に実行して結果を確かめるようにしてください。入力する文字はピンク、節の中ですでに実行している文はグレーで示しています。グレーは毎回実行しなくてもよい部分です。

Interactive Shell

```
>>> import␣tkinter␣as␣tk ↵
>>> base␣=␣tk.Tk() ↵
>>> radio_value␣=␣tk.IntVar() ↵
```

インタラクティブシェルになっているときは、行の頭に >>> が表示されています。

インタラクティブシェルでPythonを実行する場合、Pythonのプログラムを一文ずつ入力した後、[Enter]キーを押して実行します。本書の前半では、␣で半角スペースを表現しています。プログラムを入力をするときには、該当箇所に半角スペースを入力するのを忘れないように気をつけてください。本書の↵は[Enter]キーを押すことを表しています。なお、長いプログラムの場合、紙面の関係上やむをえず改行している場合がありますが、皆さんがプログラムを入力する際に紙面上の改行のところで[Enter]キーを押すと、プログラムが途中の状態で実行されてしまいますので注意してください。長いプログラムを改行している場合は末尾に↵がありません。[Enter]キーを押すのは↵のところと覚えておいてください。

◆ 解説のためのプログラム

ブルーの背景でPythonのプログラムが書いてある箇所があります。

```
for␣count␣in␣range(3):
```

これは、解説のために示しているプログラムです。皆さんに実行していただく想定のプログラムではありませんが、興味のある方は実行してみてもかまいません。ただし、そのまま実行すると想定通りに動かないことがあります。

◆ テキスト

インタラクティブシェル上で1行ずつ実行する以外に、テキストファイルにPythonのプログラムを書き、それをファイルごと実行する方法があります。

Text   ⬇ newyear3.py `py`

```python
if __name__ == '__main__':
    print('happy new year !!')
```

緑のヘビの枠はテキストファイルを表しています。エディタを開いてテキストを書いて保存してください。右上の ⬇ newyear3.pyはファイルの名前です。※1

◆ 書式

Pythonの文法は「書式」としてまとめています。書式は一度では覚えられないので、プログラムを書くときに見返して確認するときなどに使ってください。

書 式

```
class クラス名:
    tab  変数の定義
    tab  関数の定義
```

Pythonファイルの扱い方（Windowsの場合）

本書では、新規テキストファイルの名前を、拡張子ごと変更してPythonファイルを作成します。拡張子とはファイルの末尾の.（ドット）以降の文字のことです。システム上では、この拡張子を元にどのようなタイプのファイルなのかを判断しています。Pythonでは、テキストファイルの拡張子を.pyとして保存します。すると、パソコンにPythonファイルとして認識されるようになります。

Fig Pythonファイル

※1 テキストファイルは、SBクリエイティブのサポートページからダウンロードもできます。
    URL https://isbn2.sbcr.jp/13723/

もし「自分のパソコンではファイルに拡張子が表示されていない」という方は、拡張子を表示するように設定してください。

1 窓マークのWindowsキー ＋ Ｅ キーでエクスプローラー（ウィンドウ）を開く
2 メニューバーから[表示]を選択
3 [ファイル名拡張子]にチェックを入れる

Fig [メニューバー]から[ファイル名拡張子]を表示

テキストファイルはダブルクリックで開くことが多いのですが、このようにPythonファイルになってしまったものは、ダブルクリックをするとPythonとして実行されるようになっています。そのため、このファイルを再度編集したいときにはファイルを右クリックし、メニューから[プログラムから開く]を選択します。プログラムを選ぶダイアログが表示されるので、いつも使っているエディタを選択して開けばOKです。

Fig 右クリックでプログラムを選択する

Pythonファイルの扱い方（Macの場合）

Macに標準でインストールされているテキストエディットでPythonファイルを作成しようとすると、ファイル形式の問題でエラーが出てしまうことがあります。本書では、Microsoft社が開発しているエディタVisual Studio Codeをおすすめしています（Visual Studio Code➡p.20）。

Pythonファイルの拡張子は.pyです。もし「ファイルに拡張子が表示されていない」という方は、表示設定で拡張子を表示するように設定してください。

① デスクトップをクリックし、左上のメニューバーに［Finder］と表示されていることを確認
② 左上のメニューバーから［Finder］をクリックし［環境設定］を選択

③ ［詳細］をクリックし、［すべてのファイル名拡張子を表示］を選択

Pythonのコーディング規約「PEP8」

Pythonに限らず、プログラミング言語には、それぞれの言語ごとに「コーディング規約」と呼ばれるルールがあります。コーディング規約とは「こういう時はこういう風に書くようにしよう」というルール集です。強制力のあるものではありませんが、複数人で作るプログラムなどでは、コーディング規約に則ってみんなが開発することで、全体が統一感のある読みやすいプログラムになります。会社独自のコーディング規約が作られることもよくあります。

PEPはPython Enhancement Proposalsの略で、意訳すると「Pythonをよりよくする提案集」です。Pythonにおいては、PEP8「Style Guide for Python Code」というドキュメントにコーディング規約がまとめられており、これに従うケースがほとんどです。このPEP8は元は英語ですが、有志によって日本語に訳されています。一度、ひと通り目を通してみることをおすすめします。

▶ PEP8日本語訳

URL http://pep8-ja.readthedocs.org/ja/latest/

PEPのなかで他によく言及されるのがPEP20 "The Zen of Python"です。このZenというのは、日本語でも使われている宗教用語の「禅（ぜん）」を指しています。"The Zen of Python"とは、Pythonにおける「禅」、つまり「Pythonの心、考え方」というような意味で世界中のPythonプログラマに理解されています。プログラミング言語と「禅」という、一見、一番遠いところにありそうな概念が結びついているのが面白いですね。

この"The Zen of Python"は実はPythonに組み込まれていて、インタラクティブシェルを起動し、「import this」と入力・実行すると内容を見ることができます。ぜひ試して読んでみてください。

 Interactive Shell

```
>>>import this ↵
The Zen of Python, by Tim Peters
…省略
```

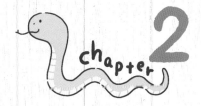

Pythonプログラミングを
はじめよう

環境設定が終わり、準備運動が済みました。ここから先はどんどんプログラムを書いていきます。「そもそもプログラミングとはなんなのか?」から始めて、まずは5行以内のプログラムで確認しながら、Pythonの基礎である、かんたんな計算や、データの種類についての知識を固めていきましょう。

2-1

Pythonプログラミングの第一歩

Pythonでできることをいくつか紹介して、プログラミングの第一歩を踏み出します。

第1章でPythonの概要や環境設定、そしてかんたんなプログラミングでカレンダーを表示するところまで紹介しました。これからじっくりとPythonでのプログラミングを進めていく前に、かんたんにプログラミングとはいったい何であるのかを確認しておきたいと思います。

 ## プログラミングとは

私たちは普段、お互いにコミュニケーションを取るとき、日本語でお願いをしたり、聞いたりしますね。

Fig　人に言葉で「ヘビ出して！」とお願いするとき

一方、私たちがコンピューターに何かをお願いしたいとき、日本語でお願いをしてもパソコンは理解できません。コンピューターが理解できる言葉を使う必要があります。そのコンピューターが理解できる言葉というのが「プログラミング言語」と呼ばれているものなのです。

Fig　パソコンにプログラミング言語で「ヘビ出して！」とお願いするとき

ここで、人が話す言語とプログラミング言語の関係を表にすると次のようになります。

Table　人が使う言語とプログラミング言語

対人間	対コンピューター
言語	プログラミング言語
文章を書く	プログラミング
文章	プログラム

　人が話す言語に日本語や英語、中国語などがあるように、プログラミング言語にもJavaや PHP、Pythonなどの種類があるのです。

 ## プログラムを書く上で気をつけること

　プログラミング言語は、コンピューターにお願いをするための言語であるという話をしましたが、 1つ気をつけるポイントがあります。それは、コンピューターが理解するプログラミング言語は、私 たちが普段接している日本語や英語よりも、非常に厳密にルールが決まっているという点です。

◆記号の使い方について

　たとえば、文章で使う記号の1つにカッコがあります。カッコとは「」や（）などです。私たちは普 段、カッコの意味の違いをあまり意識しなくても使うことができますよね。次の例を見てください。

```
['りんご' , 'みかん' , 'れもん']
```

```
{'りんご' , 'みかん' , 'れもん'}
```

　[]カッコで3つの果物をくくったものと、{}カッコでくくったものです。ここから私たちが読み取れる情報はどちらも同じですよね。3つの単語がカッコの中で区切られているだけです。ところが、プログラミング言語ではこれら2つのデータは全く別のものとして認識されます。ここで使ったカッコの種類によって、別の種類のデータだと認識して、それぞれ別の機能を持つようになるのです。また、カッコだけでなく、；（セミコロン）と：（コロン）の違いや、'（カンマ）の数などでプログラムはエラーになります。うまくいかないときには、このような細かい記号が正しいかなども含めて確認していきましょう。

　今回の例で示した2つの書き方の違いは **2-5**「データ型」で詳しく説明しますので、このような小さな違いがプログラムの中では大きな違いになることを覚えておいてください。

◆ 空白の使い方について

　プログラムが厳密なのは、記号だけではありません。特にPythonでは、プログラムの中で空白をどのように入れるかが重要なポイントです。次の例を見てください。

▶ プログラムの例1

```
>>> def happy():
...     print('life')
```

▶ プログラムの例2

```
>>> def happy():
... print('life')
```

　Pythonのプログラムの例を2つ並べてみました。これらの違いがどこにあるかわかりますか？

　答えは、printが書いてある行の左に空白があるかないかだけです。一見なんでもない違いですが、この2つのうち、上のプログラムは正常に動き、下のプログラムはエラーが発生して動きません。これはPythonの特徴なのですが、プログラムを「見やすくするため」に、このような空白をあけることが厳密なルールとして決められているのです。たとえるなら、私たちが学校で原稿用紙に作文を書くときに、先生に「段落の頭は1マスぶんあけて書きなさい」と決められているのと同じです。プログラムで行頭に入れる空白のことは**インデント**といいます。

　ちなみに、他のプログラミング言語にはインデントを入れても入れなくてもいいものもあります。ただ、インデントは見やすい・読みやすいプログラムを書くためにも必須と言われています。それはともかく、Pythonという先生は、段落の頭は1マスきちんとあけないと原稿を受け取ってくれないのだ、ということを覚えておきましょう。インデントの入れ方やPythonで空白をあけるべき場所がどこかというのは、これからしっかりと説明していきますので、安心してください。

　いろいろと準備のための説明をしてきました。次からはPythonのプログラムを実際に動かしながら学んでいきましょう。

どの言語を選ぶとよいか

　「どの言語を最初に学ぶのがよいか？」という議題は、毎年のように話題に上がるホットなトピックです。プログラミング言語にはさまざまな側面があるため、「この言語を最初に選ぶべき！」とは一概にいえないからです。本書の冒頭で述べた通り、Pythonは明解でわかりやすく、初めに学ぶのに適した言語ですが、Python以外にも最初に学ぶのに適しているといわれる言語は数々あります。

　もし、作りたいものや、やりたいことが初めから決まっている場合は、いくつかの言語に絞り込むことができます。たとえばWebアプリケーションを作りたい場合には、Python、PHP、Rubyが適しています。統計解析なら、PythonのほかではRという言語が主流です。一方、「特にこれといった具体的な目的はないがプログラミングを始めてみたい」という方は、Pythonのようなわかりやすい言語で、まずはプログラミングに共通する知識や概念を学ぶのが良いでしょう。プログラムのルールや書き方は、言語によって違いますが、例えば本書では3章で紹介する「繰り返し」や「条件分岐」などは、だいたいどのプログラミング言語にも存在します。プログラミング言語に1つでも入門しておけば、作りたいプログラムができたときや、新しい仕事への参加が決まったとき、たとえ自分が最初に覚えた言語ではなくても、1から学ぶよりもスムーズに始められるのです。

2-2

Pythonで計算してみよう

算術演算子

家で家計簿をつけているときや、職場で工数を数えているときなど、普段ちょっとした計算をしたいときがあると思います。普通なら電卓を使うところですが、これからは電卓ではなくPythonを使って、それらを計算することができます。

まずはインタラクティブシェルを起動します。このように「インタラクティブシェルを起動します」といったら、Windowの方はコマンドプロンプト（➡p.7）を、Macの方はターミナル（➡p.11）を起動して「python」（Macの方は「python3」）と入力してください。

インタラクティブシェルを起動したら、実際に手を動かしてプログラミングで使う計算式を学習していきます。

 加算（足し算）、減算（引き算）

加算は+を、減算は-を使って計算することができます。A＋Bと入力したら Enter キーを押すだけです。なお、プログラム中の◽の部分は、半角スペースを入れてプログラムを入力してください。次から Enter キーは ↵ で示していきます。↵のところは Enter キーを押してください。

 **Interactive Shell**

```
>>> 1129 + 2344 ↵
3473
```

続けて、好きな数字で計算してみてください。正しい答えが出るはずです。

 **Interactive Shell**

```
>>> 1129 + 2344 ↵
3473
>>> 3473 + 376 ↵
3849
>>> 400 - 330 ↵
70
```

 ## 乗算（掛け算）、除算（割り算）

足し算、引き算と同様に、掛け算、割り算も実行できます。乗算をする記号はxではなく*を、除算は÷ではなく/を使う点に注意しましょう。

 **Interactive Shell**

```
>>> 2800 * 1.08 ↵
3024.0
>>> 1920 / 12 ↵
160.0
```

 ## 演算の優先順位

足し算、引き算、掛け算、割り算を見てきました。この4つをあわせて四則演算と呼びます。ここでは、その四則演算をまぜて実行してみます。

```
>>> (40 + 50) * 3 - 50 ↵
220
>>> 40 + 50 * 3 - 50 ↵
140
```

（ ）がある場合は（ ）内を優先し、そうでなければ乗算を先に計算するという四則演算の優先順位をきちんと解釈して計算していることがわかりますね。

剰余（割り算の余り）

四則演算の他にも、計算をするための演算子が用意されています。それが剰余（割り算の余り）です。剰余は%（パーセント記号）を使うと求めることができます。

```
>>> 255 % 3 ↵
0
>>> 255 % 7 ↵
3
```

このように、255を3で割ると、85で割りきれるため、剰余は0です。また、255を7で割ると、36と余り3なので、剰余は3になります。

◆ 剰余って何に使うの？

ところで、この剰余は何のためにあるのでしょうか。筆者も初めて知ったときは、何に使うのかわかりませんでした。わかりやすい例をいくつか紹介します。例えば、ある数が偶数か奇数かをプログラムで調べたいときに剰余が使われます。調べたい数を2で割った剰余を求めて、剰余が0なら偶数、剰余が1なら奇数として判定する、というものです。

Fig 剰余を使うと奇数か偶数かがわかる！

2で割った余りが...

"0"のときは偶数
➡ 2, 4, 6, 8, 10など

"1"のときは奇数
➡ 1, 3, 5, 7, 9など

他にも、たとえば学生を4つのグループに分けようと思ったとき、生徒の出席番号を4で割ると、どの番号も剰余が0、1、2、3のいずれかになりますね。この性質を利用して、剰余が同じ数字の人達を同じグループにする、というような方法でも使うことができます。このような方法は、すぐには使わないとしても、頭の片隅においておくと、いつか役立つときがくるかもしれません。

 べき乗

べき乗とは、1つの数を繰り返し掛け合わせることで「○の△乗」というようなものです。たとえば2の2乗は4、3の4乗は81となります。このべき乗は、** を使うと求めることができます。

Interactive Shell

```
>>> 2 ** 3 ↵
8
>>> 5 ** 4 ↵
625
```

上の計算は2を3回かける（2x2x2）、下の計算は5を4回かける（5x5x5x5）のと同じ意味を持ちます。

複素数

Pythonでは複素数を扱うことができ、整数と同じように算術演算子を使って計算をすることができます。複素数といわれてもピンと来ない方は、Pythonでは複素数の計算ができるんだ、ということだけ覚えておいてください。

実数ではない複素数のことを虚数といいます。数学では虚数単位を「i」で表現しますが、Pythonで計算するときは「j」または「J」を使います。先ほどのべき乗で「1j」を2乗したら「-1」であることも確認できます。なお、虚数単位であるjの係数は、1であっても省略することができません。1jとしてください。

Interactive Shell

```
>>> (4␣+␣5j)␣-␣(3␣-␣4j) ↵
(1+9j)
>>> 1J␣**␣2 ↵
(-1+0j)
```

これまでに挙げた例では、単純に数字と記号だけを使って計算をしてきました。しかし、Pythonでできる計算は、これだけではありません。標準ライブラリ(Pythonを拡張するプログラム)を使って、三角関数、指数関数、対数関数などの高度な計算も行うことができます。

 まとめ

Pythonで使う算術演算子には、次の表のようなものがあります。

Table　算術演算子

算術演算子	使い方	意味
+	1 + 1	加算(足し算)
-	2 - 2	減算(引き算)
*	3 * 3	乗算(掛け算)
/	4 / 4	除算(割り算)
%	5 % 3	剰余(割り算の余り)
**	6 ** 2	べき乗(同じ数字を繰り返し掛ける)

Pythonのバージョンについて

　2022年1月現在、リリース済のPythonの最新バージョンは3.10です。今後もPythonは開発されつづけ、新しいバージョンがリリースされていく予定です。しかし、「3」というメジャーバージョン番号は今後も変わらず、3.11、3.12、3.13・・・という採番がされていく予定です。なぜPython4.0にならないのでしょうか。

　2021年にPythonの開発者である、グイド・ヴァンロッサム氏（Guido van Rossum）がインタビューでPython4.0について、おそらく日の目を見ることはないだろうと回答しています。理由の一つとして、Python2系からPython3系への移行が非常に難航したことが挙げられます。実は2系と呼ばれるPython2系の開発は、2020年までPython3系の開発と並行して行われていました。2系と3系の間には大きな仕様の変更があり、Pythonを利用している開発者や企業が3系に移行するまでに非常に大きな労力と時間が必要でした。その時の大変さが、まだ記憶に新しいので「Python4.0系なんてとんでもない、もはやタブーのようなものだ」と冗談のように語られたようです。

データを便利に扱うために

変数

ここからは、変数について説明していきます。変数とは、一定期間のあいだ、数字や文字などを保存しておくことができる機能です。例えていうなら、携帯電話のアドレス帳みたいなイメージです。そうはいっても、いつも使っているアドレス帳とプログラミング用語、そうかんたんには頭のなかで結びつきませんよね。今から「似たようなもの」であるとなんとなくイメージできるよう解説していきます。

 ## 変数とは

　私たちは普段、友達や同僚の携帯番号をすべて暗記してはいないですよね。名前と電話番号をセットで携帯電話のアドレス帳に登録しておいて、必要なときに名前で探して、出てきた電話番号に電話をかけるのが一般的な方法です。これは「電話番号というデータに、氏名というラベルを付けて保存している」と言い換えることができます。

Fig　アドレス帳

　変数も、仕組みはこのアドレス帳と似ています。まず、プログラムの中で使いたい数値や文字列などのデータをプログラム内で用意したら、それにラベルを付けます。そのラベルを使って、データを呼び出す、ということをやっているのです。

　プログラミングに慣れないうちは、変数の概念を難しいと感じてしまうかもしれませんが、安心してください。使っているうちに、どういうものか、必ずわかるようになります。

 ## 変数を使ったプログラム

　これまで、Pythonの機能を使ってさまざまな計算をしてきました。ここで新しい機能「変数」を使った実際のプログラムの書き方を学んでいきます。プログラムでの変数の記述方法は、次のように、変数と値の間に＝（イコール）を書きます[1]。

書　式

変数　＝　値

　これを、変数に値を「セットする」といいます[2]。先ほど挙げた携帯電話のアドレス帳の例だと、電話番号に、氏名というラベルを貼る作業に＝を使うということです。

※1　イコールの前後は、スペースを入れなくてもOKです。
※2　「代入する」ということもあります。

算数では 1+1=2というように、= は、左側の式と右側の値が等しいということを表す記号として使ってきたかと思いますが、Pythonでは、「変数」に「値」を代入する演算子として使います。実際にインタラクティブシェルを起動して、書きながら理解していきましょう。

Interactive Shell

```
>>> tax␣=␣0.1 ↵
>>> price␣=␣120 ↵
>>> suzuki_telephone␣=␣'090-1234-5678' ↵
```

1行目は、変数tax に0.1という「数値」をセットしました。2行目は、変数priceに120という「数値」を、3行目は、変数suzuki_telephoneに'090-1234-5678'という「文字列」をセットしました。

次に、セットできていることを確認します。taxと入力し、Enterキーを押してください。price,suzuki_telephoneも同様に入力、実行します。

Interactive Shell

```
>>> tax␣=␣0.1 ↵
>>> price␣=␣120 ↵
>>> suzuki_telephone␣=␣'090-1234-5678' ↵  ────────── ここまでは先ほどの続き
>>> tax ↵
0.1
>>> price ↵
120
>>>suzuki_telephone ↵
'090-1234-5678'
>>>
```

「tax」、「price」、「suzuki_telephone」を入力してEnterキーを押すと、変数に保存した数値や文字列のデータが表示されましたね。これで、変数にデータが保存されていることが確認できたことになります。

次に、これらの変数を使って、乗算（掛け算）をしてみます。

```
>>> price␣*␣tax ↵
12.0
>>> 120␣*␣0.1 ↵
12.0
```

変数を使って計算をした結果と、実際に値を掛けあわせた結果が同じになったことがわかります。

「別に変数を使わなくても計算はできるじゃないか」と思った方もいるのではないでしょうか。この変数の役割、変数を使うことの主なメリットは次の2つです。

　1つ目は、アドレス帳の例で挙げたように、記憶しておくのが大変なデータ（電話番号）を、suzuki_telephoneといったわかりやすい文字に置き換えて、呼び出すことができるようになることです。

　2つ目は、データに変数名という名前を付けることによって、データに意味を持たせられることです。たとえば、今回の例で使った0.1という数値をセットしたのは、taxという名前の変数です。taxは英語で税金を意味する単語なので、何かの数字にtaxを掛けている計算式を見たら「あ、定価に消費税の税率をかけて税額を計算しているんだな」ということが（taxという英単語の意味を知っている人であれば）見て想像できるのです。もちろん、変数に入れなくても、数字が正しければ狙い通りの計算結果は得られるのですが、よほど察しのいい人でない限り、数字だけを見て0.1が税率だとはわかりませんよね。

 変数に使える文字

　変数名は基本的に自由に付けられるのですが、どんな文字でも変数に使えるというわけではありません。変数の命名には、次のようないくつかのルールがあります。

▶ **1文字目に数字は使えない**
▶ **予約語は使えない**

まず「1文字目に数字は使えない」ことを、実際に試して確認してみましょう。

53

Interactive Shell

```
>>> value = 100 ↵
>>> _value = 300 ↵
>>> 2value = 500 ↵
  File "<stdin>", line 1
    2value = 500
    ^
SyntaxError: invalid decimal literal
```

　valueと、_value、という2つの変数名では、何も問題は起きませんでしたね。ところが、先頭に数字を付けた2valueを変数名に使って入力すると、SyntaxError: invalid decimal literalというエラーが表示されてしまいました。これを日本語に訳すと「構文のエラー：無効な10進数表記です」といった内容です。構文というのは、Pythonの文法（ルール）です。変数名の1文字目は、英字か_（アンダースコア）ならOKということもわかりました。

　次に「予約語は使えない」というルールについてですが、まず予約語について解説します。予約語とは、Pythonの中で定義されている文字列のことです。もう少し詳しくいうと、Pythonの中で、あらかじめ使いみちが決められている文字列です。つまり予約語というのは、Pythonを作った人たちが特定の機能に使おうと思って、**予約しておいた用語の略**です。[※3]
　この予約語を変数として使おうとするとどうなるか、finallyとglobalという予約語を使って試してみましょう。

Interactive Shell

```
>>> finally = 888 ↵
  File "<stdin>", line 1
    finally = 888
    ^^^^^^^
SyntaxError: invalid syntax
```

Interactive Shell

```
>>> global = 127 ↵
  File "<stdin>", line 1
    global = 127
           ^
SyntaxError: invalid syntax
```

※3　予約語の数は、Pythonのバージョンによって異なります。

　1つ目のルールを守らなかったときと同様にSyntaxError: invalid syntaxというエラーが表示されました。

　ところで、そもそも何が予約されている単語なのかがわからないと、ルールの守りようがないですね。Pythonには、何が予約語なのかを表示する機能があります。

 Interactive Shell

```
>>> import keyword ↵
>>> keyword.kwlist ↵
```

　1行目は「keywordという名前の機能のまとまりをimportする（読み込む）」という意味で、2行目は、「keywordという機能のまとまりの中からkwlist（キーワードのリスト）を表示する」という意味です。

　この2行をインタラクティブシェルに入力すると、予約語の一覧が表示されます。これら35の予約語をすべて覚える必要はありませんが、変数には使えないものがあるということは頭の片隅に置いておいてください。

Table　予約語

False	None	True	and	as	assert	async
await	break	class	continue	def	del	elif
else	except	finally	for	from	global	if
import	in	is	lambda	nonlocal	not	or
pass	raise	return	try	while	with	yield

　以上のルールから、基本的に変数は、その変数の意味を表す英単語を使います。たとえばりんごの価格を変数にするときには、apple_priceとするのが適切でしょう。なぜなら、あなたのプログラムを他の人が見たとき、その変数が何のために作られたのかが、わかりやすいからです。[4]

 まとめ

　変数について説明をしてきました。今はまだ単純な計算しか行っていないので、ただ数値を置き換えただけの変数による恩恵はあまり感じられないと思いますが、これから新しい機能を覚えて複雑なことに挑戦するとき、変数を使って効率よくプログラミングができることを実感すると思います。

[4] 実はPython3から日本語を変数名に使うことができますが、いろいろな理由があってあまり使われていません。基本的には本文中にあるように英語を使いましょう。

2-4

どちらが多いか？大きいか？

比較演算子

プログラムにはデータを比較する機能があります。数学で不等号と呼んでいた、大なり記号「>」や、小なり記号「<」を使って、プログラムで判定をしてみましょう。

 ### 比較演算子とは

比較演算子は、その名の通り「比較に使う演算子」です。比較というと、世のなかには「どちらが良いか」「どちらが好きか」などいろいろな比較がありますね。しかし、プログラミングにおける比較は「どちらの数字が大きいか」というようにデータ同士を比較します。

 ### 比較演算子を使ってみる

それでは、実際にインタラクティブシェルを起動して確認してみましょう。「34 > 22」と入力して実行してください。

Interactive Shell

```
>>> 34␣>␣22 ↵
True
```

34と22を大なり記号>で比較した結果、Trueという文字が表示されました。これは34 > 22が True（真）である（正しい）という意味です。次に、不等号の向きを変えて実行してみましょう。

 Interactive Shell

```
>>> 34␣<␣22 ↵
False
```

今度はFalseが表示されました。今回は34 < 22がFalse（偽）である、つまり誤りであるということを示しています。このように、プログラムでは正しいことをTrue、誤りであることをFalseとして扱います。この大なり（>）小なり（<）以外の比較演算子は、次の表の通りです。

Table 比較演算子のまとめ

比較演算子	例	意味
>	x > y	xはyより大きい
>=	x >= y	xはyと等しいか、yより大きい
<	x < y	xはyより小さい
<=	x <= y	xはyと等しいか、yより小さい
==	x == y	xはyと等しい
!=	x != y	xはyと等しくない

なかでも特に注意したいのは、等しいという比較をするための==という比較演算子です。**2-3**で説明した、「変数」に「値」をセットするときに使う = と間違えてしまうことが多いので、慣れないうちは気をつけてください。

= と == の2つを続けて実行してみましょう。

 Interactive Shell

```
>>> apple␣=␣15 ↵          ──────────────────── 変数にセット
>>> apple␣==␣15 ↵         ──────────────────── 15と変数appleを比較
True
```

1行目は、appleという変数に、15という数値をセットしました。2行目は、appleという変数と15という数値が等しいという式を書いてPythonで判定した結果、True（正しい）という結果が表示されました。

このTrueとFalseは、論理型やbool型といわれるデータ型です。論理型については次の**2-5**「データ型」で解説します。

 ## まとめ

かんたんに比較演算子について学んできました。わかりきった数値の大きさを比較することがいったい何の役に立つのか？と思われたかもしれません。しかし、この比較演算子は、3章で説明する条件分岐にしっかりつながっていきます。ここまでに理解できていないところがある方は、じっくり読みなおして、疑問を解消してから次に進んでくださいね。

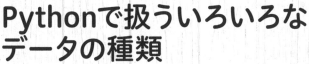

Pythonで扱ういろいろなデータの種類

データ型

データとは、日本語や英語などのテキスト、物の長さや数というような数値など、世の中に存在するさまざまな情報そのものを指します。Pythonのプログラムでも、さまざまなデータを扱っていきます。

　データを正しく、あるいは便利に扱うために、データ型（データのタイプ）というものが用意されています。データ型には多くの種類が存在しますが、ここでは重要なものを7つ紹介します。まず「数値型」と「文字列型」の2つの型を説明します。そして、それぞれを分けて考える必要性を説明した後、「論理型」、「リスト型」、「辞書型」、「タプル型」、「集合型」の5つを説明します。

 ## データ型とは

　Pythonでデータを扱うにはデータ型について知っておくことが必要です。なぜデータ型が必要なのかを、順番に説明していきます。まずはたとえ話でデータ型のイメージをつかみましょう。

 ## このキノコは何タイプ？

山を登っている最中に、いかにもキノコといった感じのキノコを発見しました。

しかし、キノコ図鑑を持っていなかったので、このキノコが食べられるのか、薬として使えるキノコなのか、そもそも危険な毒を持っているキノコなのかわかりません。わからないので、このキノコは放っておいて、そのまま山の頂上を目指して歩き始めました。

この例は、道に生えているキノコを、キノコだと認識できても、その種類と特徴が分からないと、食べるわけにもいかず、どうしようもないという例です。キノコ自体を「データ」に、キノコの種類を「データ型」に例えています。

どういうことかというと、データをプログラムに渡しても、そのデータがどのような種類のデータかがプログラムに伝わらないと、プログラムは渡されたデータをどう処理してよいかわかりません。キノコの例だけだとわかりづらいので、次の項から具体的に説明していきます。数値型と文字列型という2つの種類のデータ型を学んだ後、振り返りを行うので、まだイメージをつかめていなくとも、安心してください。

 ## 数値型

1、2、10のような数字を、「このデータは数値です」と、プログラムに伝えるためのデータ型が数値型です。数字はすべて数値型ではないのか？と思われるかもしれませんが、プログラミングをしていくうえで、数字を文字列としてプログラムに伝えたいときもあるのです（→p.64）。数値型は、数値型同士を足す・引くなど、演算をしたり、何かを数えたり、計算に使うためのデータ型です。数値型には、さらに3つの種類があります。整数と、浮動小数点数（小数）と複素数です。整数はint、浮動小数点数（小数）はfloat、複素数はcomplexと呼ぶこともあります。

◆ 整数

　整数は、プログラムにただ数字を、そのまま書いたものが整数intとして認識されます。次のプログラムに書いた「34」も「56」も、加算した結果の「90」も数値型の整数です。「55」という整数をセットした、変数である「number」も数値型としてプログラムで扱われます。

```
>>> 34␣+␣56 ↵
90
>>> number␣=␣55 ↵
```

◆ 浮動小数点数（小数）

　「浮動小数点数」という言葉は聞き慣れないと思いますが、今は「小数」と同じ意味として覚えておきましょう。「3.5」のように、小数点が入った数字を、Pythonは「浮動小数点数」として扱います。たとえば次のプログラムに書いた中で、浮動小数点数として扱われるのは、「3.4」と加算の結果の「8.4」、そして5を2で割った結果の「2.5」です。

```
>>> 5␣+␣3.4 ↵
8.4
>>> 5␣/␣2 ↵
2.5
```

◆ 複素数

　複素数（コラム「複素数」➡p.48）をPythonで表すときには、虚数部を「j」または「J」で表すことと、虚数部の係数が1のときも、1という数字を省略しないことに気をつけます。同じ数値型の整数や、小数との計算をすることができます。次の例では、複素数をセットした変数complexの型も複素数になります。

```
>>> complex␣=␣5␣+␣5j ↵
>>> complex␣+␣(3␣+␣1j) ↵
(8+6j)
```

文字列型

　文字列型とは、文字通り「データを文字列として扱うデータ型」です。文字をシングルクォーテーション「 ' 」、またはダブルクォーテーション「 " 」で囲むと、文字列型として扱うようにプログラムに伝えることができます。たとえば変数「message」に文字列"おめでとう！"をセットした場合には、変数「message」は文字列型になります。

```
>>> 'happy␣birthday!!' ↵
'happy␣birthday!!'
>>> message␣=␣"おめでとう！"
```

　また、シングルクォーテーションを3つ、あるいはダブルクォーテーションを3つ連ねることで、複数行の文字列を表すことができます。なお、表示の中の「¥n」というのは改行を表す記号（改行コード）です。

 Interactive Shell

```
>>> ''' ↵
... Sunday ↵
... Monday ↵
... Tuesday ↵
... ''' ↵
'¥nSunday¥nMonday¥nTuesday¥n'
```

 ## 文字列型と算術演算子

　数値型は、算術演算子+、-、*、/を使って数値計算をすることができましたね。演算とは少し違いますが、実は文字列型でも、+と*を使って文字列の操作をすることができます。

◆ +を使った文字列操作

　文字列型では算術演算子の+を使って、文字列同士を連結することができます。試しに「thunder」という文字をシングルクォーテーションでくくって作った文字列型と、同様に作った文字列型「bolt」を足してみましょう。

```
>>> 'thunder'␣+␣'bolt' ↵
'thunderbolt'
```

すると2つの文字列が連結され、thunderboltという1つの文字列になりました。

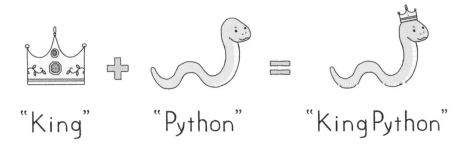

なお、文字列型と+を使った連結のプログラムでは、文字列型「同士」でしか連結はできません。文字列型と数値型を+で連結しようとすると、次の例のように、エラーが発生します。

```
>>> 'thunder'␣+␣100 ↵
Traceback (most recent call last):
  File "<stdin>", line 1, in <module>
TypeError: can only concatenate str (not "int") to str
```

♦ *を使った文字列操作

数値を計算するときに使う*は、乗算（掛け算）をする記号でしたね。文字列型に対しては、数字を掛けあわせて使い、掛けあわせた数字の回数分を繰り返すことができます。たとえば、hunterという文字列型に対して、数値型の2を掛けてみると、次のようになります。

```
>>> 'hunter'␣*␣2 ↵
'hunterhunter'
```

hunterという文字が2回繰り返され、hunterhunterという文字列になりました。好きな文字列に、好きな数字を掛けて試してみてください。ただし、この * を使った乗算では、文字列型と数値型の組み合わせでないと、繰り返しの処理にならずエラーになるため注意が必要です。

```
>>> 'dragon' * 'head'
Traceback (most recent call last):
  File "<stdin>", line 1, in <module>
  TypeError: can't multiply sequence by non-int of type 'str'
```

文字列型には数値型でないと掛け算ができないことは、文字列型と数値型が+で結合できないのと比べると、エラーになるイメージがわかりやすいのではないでしょうか。dragonとheadを掛け合わせることによって、何が起こるのかはプログラムには（もちろん書いた人にも）わかりようがありませんね。

◆ 数値型と文字列型はなぜ分かれている？

数値型の説明の最初に、数字は数値型だけでなく、文字列型として使いたいときがあると説明しました。具体的な例を挙げてみます。電話番号は、数値型が適切でしょうか？　それとも、文字列型が適切でしょうか。

　答えは、**文字列型**です。なぜかというと、電話番号の数字は、足したり引いたりすることが「ない」からです。電話番号を数値型としてプログラムに伝えてしまうと、先ほど文字列を連結するときに使った+の記号を使った場合、電話番号の数字で足し算をしようとして、エラーになってしまいます。同様に住所、たとえば「5丁目」の5という数字も文字列型としてプログラムに伝えるべきです。住所の数字を演算に使うような場合があれば別ですが、5丁目に1を足して他の人の住所を求めるようなことは、現実的には考えられませんね。○丁目の○は他と区別するために便宜上の数字を割り振っているだけで、その数字自体にはあまり意味がないともいえます。

　つまり、数字は、文字列として使いたいとき・数値として扱いたいときを、その都度、プログラムがその数字の扱い方を間違えないように（扱い方がわからなくてエラーにならないように）、伝える必要があるのです。プログラマがPythonに対してきちんとデータ型を伝えることによって、Pythonのメリットである便利な機能を使えるようになります。データ型が分かれているのは、その便利な機能を使うためともいえます。文字列型で使える便利な機能を見ていきましょう。

◆ 文字列型の便利な機能

　文字列のデータをすべて大文字に変換してくれるupper()という名前の機能があります。

Interactive Shell

```
>>> text = 'hello' ↵
>>> text.upper() ↵
'HELLO'
```

　1行目は、小文字でhelloという文字を、文字列型としてtextという変数にセットしています。2行目で、変数textの後ろにドット.を付けて、upper()と書きます。すると、変数textの中の文字列型のデータhelloがすべて大文字になって、3行目に表示されました。反対に、すべて小文字にするならlower()を使います。

　他にも、文字列の中に、指定した文字がいくつ存在するか数えるcount()という名前の機能もあります。count()は、()の中に、数えたい文字を入れて使います。さっそくプログラムを書いてみましょう。

Interactive Shell

```
>>> word = 'maintenance' ↵
>>> word.count('n') ↵
3
```

1行目でmaintenanceという文字列を変数wordに入れました。そして、2行目、wordの後ろにドット.でcount('n')をつなぎました。()の間に'n'を入れたので、nがこの文字列の中にいくつあるのか数える処理です。ここでは、maintenanceという単語の中にnがいくつあるか数えた結果、3つあると表示されました。

これら、データ型が持つ機能をメソッドといいます。このメソッドについては後ほど詳しく解説します。

 ## 論理型

論理型というといかにも難しそうです。同じデータ型ではありますが、先ほど学んだ数値型や文字列型とはちょっと違います。論理型にはTrueとFalseの2種類しかありません。この論理型は2-4「比較演算子」で学んだTrue・Falseです。真（正しいとき）はTrueで、偽（正しくないとき）はFalseです。この論理型は、bool（ブール）型と呼ばれることもあります。初めて聞く言葉だという方も多いと思うので、とりあえず頭の片隅に置いておいてください。

この論理型を使うときには、TrueもFalseも頭文字を大文字にしなければならないため、注意が必要です。頭文字も小文字にしてしまうと、プログラムに論理型として認識されません。

Interactive Shell

```
>>> 46␣<␣49 ↵
True
>>> 46␣>␣49 ↵
False
>>> true ●──────────────────── 頭文字が小文字だとプログラムに認識されない
Traceback (most recent call last):
  File "<stdin>", line 1, in <module>
NameError: name 'true' is not defined. Did you mean: 'True'?
```

 ## リスト型

リスト型も、今までのものとは少し違ったデータ型です。リスト型を使うと、複数のデータをひとまとまり（リスト）にすることができます。実際に自分でプログラムを書き始めるようになると、たくさんのデータを扱うこともあり、データをまとめられる便利さを実感できるでしょう。リスト型を使うときには、次のような書式を使います。まとめたいデータをカンマ,で区切り、大カッコ[]でくくります。

Fig　数値型と文字列型をひとまとまりに

$$[57, \ 'banana', \ 'apple']$$

数値型　　　　　　　　文字列型

リスト型を使ってひとまとめにしたリストは、他のデータ型と同様に、変数に入れて扱うことができます。なお、リスト型に入れたデータは、データを入れた番号を数字で指定すれば、データを表示できますが、0番から始まることに注意してください。左から、0, 1, 2,・・・となります。

Interactive Shell

```
>>> Agroup␣=␣['kazu',␣'gorou'] ↵
>>> Bgroup␣=␣['syun',␣'haruka'] ↵
>>> Agroup[0]
'kazu'
>>> Bgroup[1]
'haruka'
```

リスト型では、数値や文字列をまとめることができるだけでなく、いろいろと便利な機能を使うことができます。いくつか紹介しますが、これらはここですべて覚えなくても構いません。これは他の項目にもいえることですが、こういうことができるのだというのを知っておいて、また必要になったときにここに戻ってくればよいのです。

♦ リストに要素を追加する

リスト（リスト型の変数）にデータを追加する方法を説明します。

グループに加入したり脱退したり

Agroupという集団を例に見ていきましょう。Agroupは、最初はkazuとgorouの2人で成り立つコンビです。そこに新メンバーのdaiを加入させてトリオにしてみましょう。

Interactive Shell

```
>>> Agroup␣=␣['kazu',␣'gorou'] ↵
>>> Agroup.append('dai') ↵
>>> Agroup ↵
['kazu', 'gorou', 'dai']
```

まず1行目で、kazuとgorouの二人の名前をAgroupにセットして保存しました。その後、daiがやってきたので、Agroupに入れてあげたいと思います。その際にはappendというメソッドを使います。appendメソッドは「追加する機能」です。

　それぞれのデータ型には、あらかじめいくつかのメソッドが用意されているので、それを使ってデータを操作します。メソッドを使うには、プログラムの2行目のようにデータ型とメソッドを、.(ドット)でつないで使います。appendは英語で追加するという意味の単語です。名前の通りの機能ということですね。3行目でAgroupを実行して、格納されたデータを確認すると、daiもAgroupに追加されていることがわかります。

♦ リストから要素を削除する

　リストに要素を追加するメソッドを紹介しました。一方で、削除するメソッドもあります。それがremoveです。

Interactive Shell

```
>>> Agroup = ['kazu', 'gorou', 'dai'] ↵
>>> Agroup.remove('kazu') ↵
>>> Agroup ↵
['gorou', 'dai']
```

　先ほどの3人でAgroupを作り、ここからkazuを外します。2行目のように、removeの後ろに()カッコでリストから削除したい要素の名前を書き、プログラムに誰を削除したいかを伝えます。removeを実行した後にAgroupの内容を表示させると、削除に指定したkazuがAgroupにいないことが確認できました。

♦ **リストの要素の順番を変更する**

リストの中に入れたデータを並べ替えるメソッドがあります。それがsortです。

kazuを再度Agroupに参加させて確認しましょう。

Interactive Shell

```
>>> Agroup␣=␣['kazu',␣'gorou',␣'dai'] ↵
>>> Agroup.sort() ↵
>>> Agroup ↵
['dai', 'gorou', 'kazu']
```

文字列のデータを格納したリストでは、アルファベット順に並べ替えてくれます。

次のように、数字のデータのsortもできます。

Interactive Shell

```
>>> test_result␣=␣[87,␣55,␣99,␣50,␣66,␣78] ↵
>>> test_result.sort() ↵
>>> test_result ↵
[50, 55, 66, 78, 87, 99]
```

test_resultの中のデータが小さい順に並べ替えられたのが確認できました。便利な機能ですが、リストの中に数値型と文字列型が混ざっているときは、エラーになってしまうので気をつけてください。なぜエラーが起きるかというと、アルファベットと数字を比較するときにプログラムがどちらを先に並べるのか迷ってしまうからです。

```
>>> mix_list␣=␣[85,␣'kazu',␣'dai',␣100] ↵
>>> mix_list.sort() ↵
Traceback (most recent call last):
  File "<stdin>", line 1, in <module>
    TypeError: '<' not supported between instances of 'str' and 'int'
```

 ## 辞書型

辞書型というデータ型を紹介します。使い方の前に、なぜ「辞書」という名前がついているのかを説明します。たとえば国語辞書には、単語とその意味が次のような形式で書かれています。

Fig　辞書の例

見出し	解説文
林檎	リンゴは、バラ科リンゴ属の落葉高木樹。またはその果実のこと。……

.
.
.

| ルーター . . . . . . | コンピューターネットワーク間に中継する通信機器で…… |

.
.
.

辞書は意味を調べたい単語の見出しを引いて、調べたい単語の説明が書いてあるページを開いて確認する、という使い方をしますね。Pythonの辞書型も、この辞書の形式と同じで、見出しと対応するデータ（数値、文字列など）をセットにしてオリジナルの辞書を作るようなイメージです。Pythonではこの見出しをキー（key）と呼び、キーと対応するデータをペアにします。このよう

に、ひとまとめにしたデータを辞書型のデータと呼びます。複数のデータをまとめて持つ、というところはリスト型と似ていますが、辞書型は**見出しと内容がセットになっている**ことが一番の特徴です。

書式は次の通りです。見出しとなるキーと対応するデータを：（コロン）でつなぎ、それぞれのセットを，（カンマ）で区切ったものを{}（中カッコ）でくくると辞書型になります。

> **書式**
>
> {見出し1:内容のデータ1, 見出し2:内容のデータ2, ・・・}

実際にプログラムで書いてみると次のようになります。

```
{'1stClass': 65,␣'2ndClass':55,␣'3rdClass':45}
```

まずは辞書型のデータを作って、使ってみましょう。次の例は、部活をたくさん掛け持ちしている人の予定を例に、曜日を見出し（キー）、部活をデータとして、辞書型を作成したものです。

Interactive Shell

```
>>> activities␣=␣{'Monday':'バスケ',␣'Tuesday':'自転車',␣'Wednesday':'軽音',␣
        'Friday':'水泳'} ↵
```

Enterキーを押しても何も表示されませんが、内部では辞書が作成されています。この辞書から、曜日を元にデータを引いてみましょう。activities変数の[]に曜日、TuesdayやFridayをキーとして入れて、Enterキーを押します。

Interactive Shell

```
>>> activities['Tuesday'] ↵
'自転車'
>>> activities['Friday'] ↵
'水泳'
```

それぞれのキーの曜日に設定した部活が表示されましたね。

♦ 辞書型に用意されているメソッド

リスト型にはデータを並べ替えたり、要素を削除するメソッドと呼ばれる機能がありましたが、辞書型にも同じようにいくつかのメソッドが用意されています。

たとえば辞書型の後に.（ドット）でkeys()をつなげると、見出しであるキーをすべて表示できます。同じようにvalues()をつなげると内容のデータをすべて表示します。

Interactive Shell

```
>>> activities.keys() ↵
dict_keys(['Monday','Tuesday','Wednesday','Friday'])
>>> activities.values() ↵
dict_values(['バスケ','自転車','軽音','水泳'])
```

 タプル型

タプルという単語は初めて聞いた、という方もいるかもしれません。あまり聞き慣れない単語ですが、このタプルとはPython独自の用語ではなく、「複数の要素からなる一組」を表す単語です。タプルのことを知らない人も、「ダブル」や「トリプル」は聞いたことがあるのではないでしょうか。ダブルは2重とか2倍、トリプルは3重、3倍という意味で使われていますね。4倍以降にもそれぞれの名前が存在しますが、それは置いておいて、4重は4タプル、5重は5タプルと呼ぶことができます。タプルは日本語でいうところの「組」であること、ダブルやトリプルに近い単語であることを覚えておいてください。

このタプル型は、前に出てきたリスト型ととてもよく似ています。書式は次の通りです。

書式

```
(要素A， 要素B， 要素C， ......)
```

このように、複数の要素を,（カンマ）で区切って()でくくったものがタプル型です。

♦ タプル型の特徴

タプル型はリスト型と同様に、他のいろいろなデータ型を、リスト型のように1つにまとめることができます。

```
Interactive Shell
>>> tuple_sample ␣=␣ ('apple',␣3,␣90.4) ↵
>>> print(tuple_sample) ↵
('apple', 3, 90.4)
```

　リスト型と対比しながら解説します。リスト型と違うところの1つは、タプル型は定義[1]した後、変更ができなくなる、というところです。アイスクリームの味を例に見ていきましょう。リスト型の場合は次のように書きます。

```
Interactive Shell
>>> flavor_list␣=␣['ミント',␣'チョコ',␣'ストロベリー',␣'バニラ'] ↵ ●───── 定義
>>> flavor_list[0]␣=␣'ラムレーズン' ↵
>>> print(flavor_list) ↵
['ラムレーズン', 'チョコ', 'ストロベリー', 'バニラ']
```

　リスト型では、4つの要素でflavor_listを作った後、「ミント」を「ラムレーズン」に書き換え[2]、データを確認しました。
　同じことをタプル型で実行しようとすると、次のようになります。

```
Interactive Shell
>>> flavor_tuple␣=␣('ミント',␣'チョコ',␣'ストロベリー',␣'バニラ') ↵
>>> flavor_tuple[0]␣=␣'ラムレーズン' ↵
Traceback (most recent call last):
  File "<stdin>", line 1, in <module>
  TypeError: 'tuple' object does not support item assignment          ─── エラー
>>> print(flavor_tuple) ↵
('ミント', 'チョコ', 'ストロベリー', 'バニラ')
```

　リスト型の例と同じように4つの要素でflavor_tupleを作った後、「ミント」を「ラムレーズン」に書き換えようとしたところ、エラーが表示されました。エラーは「タプル型は新しく要素を追加することには対応していません」という内容です。これがタプル型の特徴の1つです。
　タプル型の特徴2つ目は、辞書のキーとして使えるということです。そして、リスト型は辞書のキーに使うことができません。実際にプログラムを書いて確認します。辞書型とリスト型とタプル型の3つが出てくるので、わからないところはこの章を見返しながら確認してみてください。

[1]　最初に変数を作ることを「定義する」といいます。
[2]　listの要素は左から順に0,1,2,3...と数字で指定します。

```
>>> diary = {}              ←──────────────── 辞書型
>>> key = ('kamata', '08-01')   ←──────── タプル型
>>> diary[key] = '70kg'
>>> print(diary)
{('kamata', '08-01'): '70kg'}
```

　　まず1行目でdiaryという辞書型の空データを作成しました。そこに、変数keyに入れたタプル型のデータ('kamata', '08-01')をキーとして、'70kg'という文字列型を辞書のデータとして登録しました。タプルを使うことで、'kamata'という名前と、'08-01'という月日の2つの要素の組をキーとして設定することができました。

　　次にリスト型で同じことを行います。

```
>>> diary = {}              ←──────────────── 辞書型
>>> key = ['nakata','08-01']   ←─────── リスト型
>>> diary[key] = '50kg'
Traceback (most recent call last):
  File "<stdin>", line 1, in <module>
  TypeError: unhashable type: 'list'
```

　　diaryという辞書型のデータを作成した後、変数keyに入れたリスト型のデータ['nakata', '08-01']をキーとして、50kgを辞書のデータに登録しようとしてエラーが発生しました。

　　このように、辞書のキーとして、タプル型は登録することができて、リスト型は登録できません。辞書のキーは、変更できないデータ型しか登録できないようになっているのです。リスト型は後からデータの変更が出来る型なので、辞書のキーに登録できません。辞書のキーがコロコロ変わってしまうとよくない、というイメージです。

　　辞書型のキーとしてタプル型を登録できることのメリットは、複数のデータの組み合わせでキーを設定できる、ということです。たとえば今回の例でいうと「名前」と「日付」の組み合わせで「体重」のデータを引くことができます。名前だけのキーでは他の日付のデータは登録できませんし、日付だけのキーでは他の人のデータを登録できません。diaryにタプル型をキーとして、体重をそのデータとして登録しておけば、次のようなプログラムを書くことができます。

```
>>> diary['kamata',␣'08-03'] ↵
'72kg'
>>> diary['nakata',␣'08-09'] ↵
'58kg'
>>> diary['nakata',␣'08-04'] ↵
'53kg'
```

 ## 集合型

　集合型は、リスト型とタプル型と同様に複数のデータを1つにまとめることができるデータ型です。似た感じのデータ型が続いていますので、ここで完璧に覚えるというよりは、ひとまず「存在を知っておく」ぐらいの気持ちで読んでおいてください。

　集合型は辞書型と同じ{}カッコを使い、リスト型やタプル型と同じように要素を並べて定義します。

Interactive Shell

```
>>> candy␣=␣{'delicious',␣'fantastic'} ↵
>>> print(candy) ↵
{'delicious', 'fantastic'}
```

　また、setという関数を使って、集合型を作ることもできます。

Interactive Shell

```
>>> candy␣=␣set('delicious') ↵
>>> print(candy) ↵
{'d', 'u', 's', 'l', 'e', 'o', 'c', 'i'}
```

　「delicious」という文字列をset関数に渡すと、1文字ずつのバラバラになり、文字の順番が変わりました。これは「順番を保存しない」という特徴によるものです。つまり、本に書いてある文字の順番とみなさんが手元で実行した結果は同じ順番になる可能性もあれば、ならない可能性もあります。そして、よく見ると「delicious」に2つ入っている「i」が1つしかありません。これは「同じデータ（重複するデータ）を持たない」という特徴によるものです。

◆set関数を使って集合型を定義する

　set関数を使っても、バラバラにならないように定義するには、リスト型にまとめてからsetに渡します。

```
>>> flavor_=_['apple',_'peach',_'soda']  ←                      リスト型
>>> candy_=_set(flavor) ←                                       集合型
>>> candy ←
{'peach', 'apple', 'soda'}
>>> candy.update(['grape']) ←
>>> candy ←
{'peach', 'apple', 'grape', 'soda'} ←
```

　変数flavorに、3つの味をリスト型にして格納しました。2行目でそのリスト型のflavorを
setを使って集合型に変換したのが変数candyです。candyを表示してみると、1行目でリスト
型を定義したときに、[]でくくっていたものが4行目で{}に変わっていることと、それぞれの要
素がバラバラにならずにそれぞれ存在していることがわかります。この集合型に新しいデータを追
加したいときには、5行目のようにupdateを使い、[]で囲ったリスト型として渡すと、追加する
ことができます。このように、追加するときもリスト型で渡すことがポイントです。リスト型で追
加しなければ、先ほどと同様にバラバラになって格納されます。

◆ 集合型の便利な使い方　その1 ～重複を削除する～

　集合型の特徴の1つである「同じデータを持たない」という性質を利用した実際の場面での使い方
を紹介します。皆さんは、「パソコンに入っている音楽のリストからアルバムに入っていた曲とシン
グルに入っていた曲で重複したものを除きたい」、あるいは、「お知らせを送る宛先のメールアド
レスが重複していないか確認したい」というように「重複したデータをリストから除きたい」と思っ
た経験はないでしょうか。

　Pythonで複数のデータを扱うときには、主にリスト型を使います。しかし、リスト型だけで
は、データに重複があるかどうかはわかりません。重複するデータを除きたい、というときには、
リスト型のデータをいったん集合型に変換し、重複したデータを除いた後、再びリスト型に変換し
直すという方法を使います。試してみましょう。

```
>>> music_=_['my_love',_'life',_'life',_'good_time']
>>> music_set_=_set(music) ●                            setを使い集合型に変換
>>> print(music_set) ●                                  変換された内容を確認
{'good_time','my_love','life'}
>>> music_=_list(music_set) ●                           重複が排除されたので、元のリスト型に戻す
>>> print(music)
['good_time', 'my_love', 'life'] ●                      リストになっていることを確認
```

1行目で、lifeが重複しているデータを変数musicに入れました。その後、2行目でsetを使い music_setという集合型のデータに変換しました。3行目でmusic_setに入っているデータを print関数で表示させると、重複していたデータがなくなっています。さらによく見ると、順番も 変わっています。このとき、music_setは集合型になっています。リスト型として扱いたいので、 5行目で元のリスト型に変換し直します。このとき使っているのがlistです。集合型に変換する setと同じ使い方で、リスト型に変換することができます。再び変数musicをprint関数で表示す ると、中のデータから重複しているものがなくなったリスト型に戻っていることがわかりますね。

◆ 集合型の便利な使い方　その2 ～複数のデータ同士の計算～

集合型の、もう1つの大きな特徴は、集合型同士で差分をとったり、共通のデータが存在するか どうかを確認できるという点です。実際の例を使いながら説明していきます。

次のように入力してみてください。

Interactive Shell

```
>>> limited_cd_=_{'good_day',_'chocolate',_'loyalty'}
>>> normal_cd_=_{'good_day',_'chocolate'}
>>> limited_cd_-_normal_cd
{'loyalty'}
>>> limited_cd_&_normal_cd
{'good_day', 'chocolate'}
```

1行目と2行目で、limited_cdとnormal_cd、2つの集合型を定義しました。3行目で、その 2つを「引き算」しています。

```
limited_cd_-_normal_cd
```

この計算が行っている処理は、limited_cdからnormal_cdとの共通のデータを除いた結果を 表示する、という処理です。つまりlimited_cdから、共通のデータであるgood_dayと chocolateを除いたデータを表示しているのです。

5行目ではlimited_cdとnormal_cdの間を&という記号でつないで実行しています。

```
limited_cd_&_normal_cd
```

この計算が行っている処理は、limited_cdとnormal_cdのデータとの間の共通のデータを表示するという処理です。このように、集合型では、記号を使って計算のように式を実行して、データを調べることができます。このとき、いずれの場合もデータ自体は変更されない点に注意してください。今回の例では、データの数が少ないので目視で2つのリスト型の共通データや、違いが分かるので特にありがたみを感じませんが、データの数が数百件、数千件、それ以上のものを比較するときなどにはとても役立ちます。

Table　集合型で使える記号と機能（一部抜粋）

記号	機能
A <= B	BにAのすべての要素が含まれるか調べる
A >= B	AにBのすべての要素が含まれるか調べる
A | B	AとBに含まれるすべての要素を持った新しい集合型変数を作成
A & B	AとB共通に含まれる要素を持った新しい集合型変数を作成
A - B	Aには含まれるがBには含まれない要素を持った新しい集合型変数を作成
A ^ B	AとBのうち、どちらかにしか含まれない要素を持った新しい集合型変数を作成

 まとめ

ここまでに学んだデータ型について、それぞれの定義の方法をまとめます。

◆ 数値型（➡p.60）

▶ 整数

data_type_integer␣=␣89

小数点などを使わず、数字だけを書くと、整数として扱われます。

▶ 浮動小数点数

data_type_float␣=␣0.89

小数点のある数字は浮動小数点数として認識され、扱われます。

▶ 複素数

data_type_complex␣=␣8+9j

jを使って複素数の虚数部を表現します。

◆ 文字列型（➡p.62）

```
data_type_string␣=␣'luckey 7'
data_type_string␣=␣"luckey 7"
```

'（シングルクォーテーション）か"（ダブルクォーテーション）でくくった文字は、文字列型として扱われます。

◆ 論理型（➡p.66）

```
data_type_bool␣=␣True
data_type_bool␣=␣False
```

TrueとFalseの2種類で、最初の文字は大文字である必要があります。

◆ リスト型（➡p.66）

```
data_type_list␣=␣['カフェオレ',␣'カフェモカ',␣980]
```

[]カッコを使って要素をまとめます。

◆ 辞書型（➡p.70）

```
data_type_dictionary␣=␣{1:'January',␣2:'February',␣3:'March'}
```

{}カッコを使って、見出し（キー）とデータを定義します。

◆ タプル型（➡p.72）

```
data_type_tuple␣=␣('とり',␣'うし',␣'ぶた')
```

()カッコを使って要素をまとめます。

◆ 集合型（➡p.75）

```
data_type_set␣=␣{'Python',␣'Ruby',␣'PHP'}
```

{}カッコを使って、要素をまとめます。

```
data_type_set␣=␣set(['Python',␣'Ruby',␣'PHP'])
```

関数set()を使って定義することもできます。

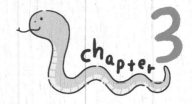

プログラミングの基本編
仕組みを使おう

この章ではPythonで使える「仕組み」を知り、それを使うことを学んでいきます。初めてプログラミングを学ぶ方は、ここでさまざまな新しい概念との出会いがあるでしょう。骨のある章ですが、落ち着いて1つずつ、確認していけば大丈夫です。この章の内容を押さえられれば、すでに自分だけのプログラムが書けるようになっているはずです。

こういうとき、どうする？

条件分岐

ここでは条件分岐について学びます。条件分岐を使うことで、プログラムで表現できることが大幅に増えます。

 条件分岐とは

「条件分岐」というと、何やら難しく聞こえますね。この条件分岐を言い換えると「プログラムに、状況に応じて異なる処理をしてもらう機能」です。私たちは普段の生活で、状況に応じて対応を変えるということを何気なくやっています。私たちの日常を例に考えてみます。

 なにげない日常のワンシーンでの条件分岐

　私は会社帰りに何か甘いモノが食べたいなと思い、コンビニに立ち寄りました。おいしそうなケーキが420円で売っているのを見かけて買おうとしましたが、財布の中に300円しかないことを思い出したので、そっと棚に戻しました。あたりを見回すと、200円のおいしそうなプリンと目が合った気がしました。今日はこれにしようと思いましたが、よくよく考えてみると昼にもプリンを食べていたことを思い出したので、結局120円のヨーグルトを買いました。

　いったい何の話だ？と思われるかもしれませんが、条件分岐のイメージをなんとなくつかむため、私たちの日常で起こりうることを抽象的に（かんたんに）とらえて例にしています。深く考え込まずに気楽にイメージしてみてください。

　エピソードの中にある「私の考えたこと」と「実行したこと」だけを抜き出すと、次のようになります。試しに、それぞれの○○○の中を埋めてみてください。

▶ もし○○○円以上もっていたら、○○○を買っていた。
▶ もし昼に○○○を食べていなかったら、○○○を買っていた。
▶ ○○○も○○○も買わなかったので、代わりに○○○を買った。

できましたか？　正解は次の通りです。

▶ **もし420円以上もっていたら、ケーキを買っていた。**

▶ **もし昼にプリンを食べていなかったら、プリンを買っていた。**

▶ **ケーキもプリンも買わなかったので、代わりにヨーグルトを買った。**

Fig　条件分岐の例

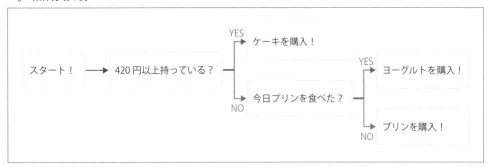

　この章で説明する「条件分岐」を使うと、図のYES/NOの部分、「もしYESだったらこうする」「NOだったらこうする」ということ、言い換えると「もし○○だったら、××する」ということを、プログラムに指示できるようになります。

条件分岐の使い方

　Pythonで「もしxxだったら▽▽する」を表現するには、ifというキーワードを使って次のように表現します。

```
if xx :
tab ▽▽
```

　ここで tab としたところには、 tab キーでタブを入れるか、スペースキーで半角のスペースを4つ[1]入れることが、ルールとして決められています。このように行の頭にスペースをあけるのがインデントです。インデントは、今回のifや、この後説明する繰り返し文などで必要になってきます。このインデントを忘れてしまうとエラーになります[2]。

 映画のチケット売場で考えてみよう
　　　　〜レイティングシステムその1〜

　条件分岐の処理を理解するために、私たちにとって身近な、具体的な例を実際にプログラムにする形式で解説していきます。
　突然ですが、映画には、作品によって鑑賞できる対象年齢が映画倫理委員会によって設けられていますね。これを「映画のレイティングシステム」といいます。レイティングの規制はいくつかの区分に分かれていますが、今回はR18+、つまり18歳未満の入場・鑑賞を禁止する映画の受付の仕事を例に考えてみましょう。チケットを買いに来た人の年齢を確認して、18歳以上なら入場OK、チケットを売ります。18歳未満なら入場NG、チケットを売ることはできません。

※1　スペースの数は必ずしも4つでなくてもエラーにはなりませんが、見やすさのためにも4つあけることが慣例となっています。
※2　本書ではわかりやすさのためにインデントをtab表記で統一していますが、おすすめはスペースです（➡p.198）。

　このことを、先ほど説明した「もし××だったら▽▽する」に当てはめると、「もし年齢が18歳以上だったらチケットを売る」となります。これを先ほどのifを使った書式に当てはめて書くと次のようになります。

書 式

```
if (18歳以上):
tab チケットを売る
```

　ここから、日本語で書いているところをプログラムにしていきます。まずif(18歳以上)の部分。「18歳以上」を表現するには、前に説明した比較演算子を使います。 2-4「比較演算子」➡p.56 チケットを買いにきた人の年齢は変数ageとします。「チケットを売る」という処理は、今回は解説のために、文字列を表示する機能printを使って、そのまま「チケットを売る」と表示させるだけにしましょう。すると、次のようになります。

```
if (18 <= age):
tab print('チケットを売る')
```

　ここで、実際にPythonのインタラクティブシェルを使って、この処理を実行してみましょう。コンソール（コマンドプロンプトあるいはターミナル）を起動し、「python」（Macの方は「python3」）と入力してインタラクティブシェルを起動し、次のように入力・実行してみてください※3。

※3　1〜2章では、半角スペースを入力する箇所を␣で表記してきましたが、3章からはプログラムの量も多くなってくるので、␣で表記はしません。ただし、みなさんがプログラムを入力する時にはこれまでと変わらず、紙面のサンプルコードの空白部分と同様の箇所にスペースの入力をお願いします。

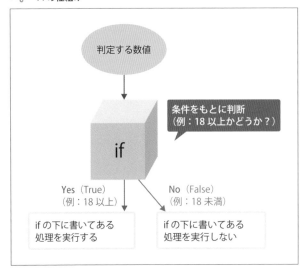

```
>>> age = 29 ⏎ ─────────────────── お客さんの年齢を29としてageという変数にセット
>>> if (18 <= age): ⏎ ────────── ここで条件分岐。ageが18より大きいときには下の行を実行
... tab print('チケットを売る') ⏎ ──────── 「チケットを売る」という文字を表示
... ⏎ ─────────────── ここでもう一度 Enter を押すと、上で書いたプログラムが実行される
チケットを売る ─────────────────────────────── 結果が表示された
```

では、もう一度。今度はお客さんの年齢を、18歳より下の15歳で試してみます。

```
>>> age = 15 ⏎ ─────────────────── 今度のお客さんの年齢は15とする
>>> if (18 <= age): ⏎ ────────── 条件は前と同じ、18以上であるかどうか
... tab print('チケットを売る') ⏎ ──────── ageが18以上のとき、print関数を実行
... ⏎ ─────────────────────────────── Enter を押す
>>> ─────────────────────────────── 前回と違い、何も表示されない
```

今度は、何も表示されずに終わりました。このことから、条件分岐の条件 18<=age に当てはまっていればifの下の行を実行し、18<=age に当てはまっていなければifの下の行を実行しない、ということがわかりました。ここでいう「18<=age に当てはまる」というのは、比較演算子を学んだときに登場した「18<=age が True」ということと同じです。

Fig　ifの仕組み

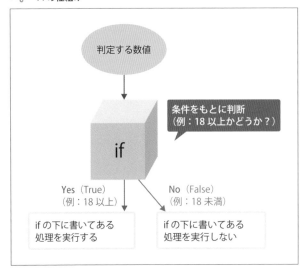

このように、ifは()で指定した条件がTrue（真）になるときだけ、その下の行を実行します。

映画のチケット売場で考えてみよう
〜レイティングシステムその2〜

　「R18+の映画チケットを売る」という流れを、ifを使ってPythonで書いてみました。ところで、先ほどのプログラムではifの条件に当てはまらなかったときには、何も表示せずに終了しましたね。これを現実に当てはめて考えると、18歳未満のお客さんがR18+の映画のチケットを求めてチケット売り場にきたとき、売り場でお客さんとチケットの売り子さんがお互いに沈黙……という感じです。これではお互いに気まずい思いをしますので、先ほどのプログラムに「チケットを売れないときにどうするか」という処理を追加してみましょう。

　ifの条件に合わなかったときに別の処理を実行させるにはelseというキーワードを使います。このelseを使うことで「条件分岐の条件に該当しなかった場合」を表現することができます。次のような文法にしたがって記述します。

3

3-1

こういうとき、どうする？　条件分岐

書式

```
if 条件:
tab 条件がTrueになるときに実行される ●──── [A]
else :
tab 条件がFalseのときに実行される ●──── [B]
```

　条件がTrueになるときには[A]の行を、条件がFalseになるときには、[A]の行を飛ばして[B]の行を通ります。言い換えると、条件がTrueになるとき、[B]の行は実行されず、条件がFalseのときは、[A]の行は実行されません。この機能を使うことで、条件によってプログラムを分岐させることができます。

　この書式で映画のレイティングシステムの例を表現すると、次のようになります。

```
if (18 <= age):
tab print('チケットを売る')
else:
tab print('チケットを売ることはできません')
```

　まず、ageが18歳以上なのかを確認します。

▶ **18歳以上なら、プログラムは2行目の「チケットを売る」の表示を実行して終了**

▶ **18歳未満なら、プログラムは4行目の「チケットを売ることはできません」の表示を実行して終了**

最後に、次のプログラムを入力して実行してみましょう。試しに、ageを15歳に設定します。

```
>>> age = 15 ↵
>>> if (18 <= age): ↵
... [tab] print('チケットを売る') ↵
... else: ↵
... [tab] print('チケットを売ることはできません') ↵
... ↵
チケットを売ることはできません
```

　ageが18歳より下だったので、else:の下の行だけが実行されました。これと同じプログラム
を、ageの年齢を18歳以上に設定して再度実行してみてください。そのときは、「チケットを売る」
と表示されるでしょう。

映画のチケット売場で考えてみよう
〜シニア割引〜

　ここまで、R18+映画のチケットを求めにきたお客さんの年齢を確認して、18歳以上か、そうで
ないかで処理を分岐しました。今回は、年齢を考慮した処理をもう1つ追加します。18歳をはるか
に超えた60歳以上のお客さんに、シニア割引の存在を教えるケースを考えてみましょう。
　今回使うのはelifというキーワードです。このelifを使うことで、「もし〜だったら」という
条件の分岐を、複数回使うことができます。

書式

```
if 条件式1 :
    条件式1がTrueになるときに実行される ●── [A]
elif 条件式2 :
    条件式2がTrueになるときに実行される ●── [B]
else :
    条件式1と条件式2が両方ともFalseになるときに実行される ●── [C]
```

　もし条件式1が正しい（Trueになる）とき、[A]の処理が実行されます。もし条件式2が正しい
（Trueになる）とき、[B]の処理が実行されます。条件式1も条件式2のどちらも正しくないとき、
[C]の処理が実行されます。
　このように、シニア割引も考えてくれるチケット売り場の処理は、プログラムにすると次のよう
になります。

```
if (60 <= age):
tab print ('チケットは1000円です')
elif (18 <= age):
tab print ('チケットは1800円です')
else:
tab print ('チケットを売ることはできません')
```

 解 説

◆ ageが60以上のとき

まず1行目で、ageが60以上かどうかを確認します。もし60以上なら「チケットは1000円です」と表示して、このプログラムは終了します。

◆ ageが18以上で、60未満のとき

1行目で60以上かどうかの条件を確認し、60未満なので、何もせずに次は3行目の条件を確認します。3行目でageが18以上なので、「チケットは1800円です」と表示して、このプログラムは終了します。

◆ ageが18歳未満のとき

1行目で60以上かどうかの条件を確認し、60未満なので、次は3行目の条件を確認します。3行目でageが18以上かどうかを確認しますが、ageは18より下なので、この条件も満たしません。次は5行目へ移ります。60以上でも18以上でもなかったので、最後の「チケットを売ることはできません」を表示してプログラムは終了します。

実際にインタラクティブシェルを使い、先ほどのプログラムにageを設定して試してみてください。

Interactive Shell

```
>>> age=70 ↵
>>> if (60<=age): ↵
... tab print ('チケットは1000円です') ↵
... elif (18<=age): ↵
... tab print ('チケットは1800円です') ↵
... else: ↵
... tab print ('チケットを売ることはできません') ↵
... ↵
チケットは1000円です
```

思った通りの動作になったでしょうか。ageの値をいろいろ変えて実行してみると理解が深まりますので、試してみてくださいね。

elifを使ってシニア割引をプログラムにしてみました。1つ前に学んだelseは1回しか使うことができませんが、このelifは条件の数だけ増やして使うことができます。elseは「else以前に書かれたifやelifのいずれにも条件が合わないもの」という単純な分岐なので1回しか使えず、elifは分岐する条件を増やしていくためにあるので複数回使うことができる、ということです。elifを複数回使うことで、現実にもあるように、大学生料金・中高生料金・幼児料金と条件を増やしていくことができます。今後、Pythonの文法を使ってプログラムを学んでいく過程で、いろいろな条件を書きたいシチュエーションがきっと出てくると思います。そのときのために、elifはぜひ覚えておいてください。

♦ ifで気をつけるポイント

ifのプログラムを書くときに、注意するべきポイントがあります。それは、条件を書く順番です。条件を書く順番によって処理の順番が変わるだけでなく、処理の結果も変わる、ということです。どういうことか、例で見ていきましょう。

今回のシニア割引のプログラムでは、順番に「60歳以上かどうか」「18歳以上かどうか」そして「その他」の順に条件を書いています。このうち、最初の「60歳以上かどうか」と「18歳以上かどうか」を入れ替えたとしたら、どうなるでしょうか。

Interactive Shell

```
>>> age=70 ↵                                          今回のお客さんは70歳とする
... if (18<=age): ↵                                   先に18歳以上かどうか判定する
... tab print ('チケットは1800円です') ↵
... elif (60<=age): ↵                                 次に60歳以上かどうか判定する
... tab print ('チケットは1000円です') ↵
... else: ↵
... tab print ('チケットを売ることはできません') ↵
... ↵
チケットは1800円です
```

順番を変えたプログラムで、変数ageに70をセットして実行すると、「チケットは1800円です」と表示されます。どうやらシニア割引が判定できていないようですね。なぜこうなるのかというと、プログラムは上から順番に実行されていくという原則のためです。上から実行していくので、70歳であっても、60歳であっても「18歳以上かどうか」の条件に当てはまった時点で「チケットは1800円です」が表示されてしまうのです。このように、次々と複数の条件で処理を振り分けるような場合には順番をよく考えないと思った通りのプログラムができないことがあります。この条件の順番によって「結果が変わることがある」ということをよく覚えておいてください。

♦ 条件を工夫する

順番が変わると結果が変わる例について解説しましたが、今回の場合は、条件を工夫すると、順番を入れ替えても正しい結果を返すプログラムを書くことができます。

チケットの値段の条件をもう一度見てみましょう。「60歳以上」「18歳以上」「その他」の3つの条件があります。この3つの条件を成立させるために「はっきり書かれてはいないものの、実は重要な条件」がひそんでいます。なんだかわかりますか？ヒントは次の図です。

Fig　条件を図で表現

それは、「18歳以上59歳以下」という条件です。先ほどから見ているこのプログラムは、実は「60歳以上」「18歳以上かつ59歳以下」「その他」とするのがより厳密な条件式となります。これをプログラムで書くと次のようになります。

```
>>> age=70 ↵
>>> if (18 <= age <= 59): ↵
... tab print('チケットは1800円です') ↵
... elif (60 <= age): ↵
... tab print('チケットは1000円です') ↵
... else: ↵
... tab print('チケットを売ることはできません') ↵
... ↵
チケットは1000円です
```

　最初の条件に「59歳以下」という条件が加わり、変数ageが70のときでも、きちんとシニア割引の値段1000円をお客さんに伝えられるプログラムになりました。

　「条件の順番を変えると結果が変わってしまう」という事例から、条件を見直してみるという流れで解説しました。条件分岐の処理を書くときには、条件が厳密に設定できているかな？ということにも気を配るようにすると、より正確なプログラムが書けるようになります。

映画のチケット売場で考えてみよう
～5本で1本割引～

　長らく見てきた映画のチケット売場シリーズも、そろそろ終わりに近づいてきました。慣れない環境で難しいプログラムを打ったり、複雑な条件を考えたりといろいろ大変だったかもしれません。あともう一息ですので、もうちょっと頑張りましょう。

　数ある映画館のなかでも、シネマコンプレックスなど大きな映画館では、お得なポイントカードがあったりしますね。今回は「ポイントカードを使って当館で5本映画を見たら、1本1000円でご招待！」というお得なサービスを例に、最後の条件分岐の説明をしていきます。

　それではまず、この「1本1000円」サービスの対象となる条件を整理してみましょう。

- ▶ **お客さんがポイントカードを持っている**
- ▶ **お客さんがこれまでに5本映画を観た**

　この条件を使って、お客さんが今回見る映画が1000円になるかどうかを判定するプログラムをまず作ってみます。

Interactive Shell

```
>>> pointcard = True ↵
>>> count = 5 ↵
>>> if (pointcard == True): ↵
... tab if (count == 5): ↵
... tab tab print ('いつもありがとうございます。今回は1000円です') ↵
```

解　説

　変数pointcardには「ポイントカードを持っているかどうか」、変数countには「今までにこの映画館で観た映画の本数」が入ってるものとします。ifを使って、まずは変数pointcardを確認します。次に、同じくifを使って今までに観た映画の本数が5かどうかを確認しています。

コラム　ifをいっぱい使うとどうなる？

　インデント（プログラムの左の空白）をきちんと入れれば、ifの中にifを作ることができます。書こうと思えば、ifの中にifを書いて、さらにその中にifを書き、そのまた中に……と続けていくこともできます。

　ただし、書けるからといっていくらでもifの中にifを作るのは禁物です。入れ子の中に入れ子を次々と作っていった"深い入れ子"は、プログラムを読みにくくする原因の1つです。そのため、深い入れ子を使ったプログラムは「良いプログラム」とは言えません。入れ子にする際は最大3階層（if3回分）を目安にするとよいでしょう。それ以上深くなってしまいそうなときは、条件を工夫したり、本当に入れ子にする必要があるのかを、もう一度よく考えることをおすすめします。

　なお、「入れ子」とはネストとも呼ばれ、Aの中にBが入っている様子を指しており、マトリョーシカ（親人形の中に子人形が入っているロシアの人形）に例えられたりします。プログラミングにおいては、繰り返し処理の中に繰り返し処理が入っているようなケース 3-2「繰り返し」➡p.101 や、今回の例のようにifの中にifが書かれているようなケースを示します。

　上記ではポイントカードのサービスを表すプログラムをifを入れ子にして書きましたが、このように複数の条件を使った条件分岐の処理には、他にも書き方があります。それは「条件Aであると同時に 条件Bである」というように、複数の条件をまとめて記述する方法です。

　今回の例でポイントカードのサービスが適用される条件を、日本語でまとめて書くと、次のようになります。

▶ **ポイントカードを持っていて、かつ今までに観た映画が5本であるとき**

これをifの条件式として書くことができれば「5本で1本1000円サービス」の判定を1つのifで済ませることができます。試してみましょう。

```
if （ポイントカードを持っていて、かつ今までに観た映画が5本である）:
tab  print('いつもありがとうございます。今回は1000円です')
```

このように複数の条件を1つにまとめて書きたいとき、Pythonではandというキーワードを使用します。「ポイントカードを持っている」and「今までに5本観ている」というように書くと、「ポイントカードを持っていて、かつ今までに観た映画が5本である」という意味を表現できるようになります。次のプログラムで確認してみましょう。

👥 Interactive Shell

```
>>> pointcard = True ↵
>>> count = 5 ↵
>>> pointcard == True ↵
True
>>> count == 5 ↵
True
>>> (pointcard == True) and (count == 5) ↵
True
```

上から1つずつ、条件式がTrue（正しい）かFalse（間違っている）かを確認しています。7行目で、1つ目の条件である「ポイントカードを持っているかどうか」を表しているのが、pointcard == Trueです。そして、andを使い、もう1つの条件である「今までに観た本数が5本かどうか」を表しているcount == 5をつなげています[1]。このとき、andを使った条件式のうち、一方がFalseの場合どうなるか確認してみましょう。

👥 Interactive Shell

```
>>> pointcard = False ↵
>>> count = 5 ↵
>>> pointcard == True ↵
False
>>> count == 5 ↵
True
>>> (pointcard == True) and (count == 5) ↵
False
```

[1] pointcard == Trueとcount == 5をそれぞれカッコ()で囲っているのは、算数と同じで()の中を先に計算するという意味です。

今回はpointcardをFalseにしたので、最後の（ポイントカードを持っていて、かつ今まで観た本数が5本である）という条件がFalseです。正しい結果が表示されることが確認できましたね。

andの使い方がわかってきたでしょうか？　次は実際に、5本で1000円サービス判定プログラムをandを使って書いてみましょう。

Interactive Shell

```
>>> pointcard = True ↵
>>> count = 5 ↵
>>> if ((pointcard == True) and (count == 5)): ↵
... tab print('いつもありがとうございます。今回は1000円です') ↵
... ↵
いつもありがとうございます。今回は1000円です
```

3行目の1行で「ポイントカードを持っていて、かつ今までに観た本数が5本である」という条件を表現しています。1つ目の条件である「ポイントカードを持っている」を表しているのが、(pointcard == True)です。そしてandを使い、もう1つの条件である「本数が5本かどうか」を表している(count == 5)をつなげています。この2つの条件が両方ともに「Trueになる（正しい）」ときだけ、「いつもありがとうございます。今回は1000円です」という文章が表示されます。andを使うときは「A条件、B条件ともにTrueのとき以外はすべてFalseになる」というように覚えておくとよいでしょう。

それでは、いよいよこれまでの総集編。今まで見てきた条件を全部使って、映画のチケット売場の仕組みを完成させましょう。

プログラムを書き始める前に、プログラムの内容を整理します。次の4つの条件を盛り込むので、ちょっと大きなプログラムになりますが、いずれも同じ条件分岐の仕組みを利用しているだけなので、心配はご無用です。

1. 18歳以下はこの映画を観ることができません
2. 18歳以上、59歳以下のお客さんのチケットは1800円
3. 60歳以上のお客さんのチケットは1000円
4. ポイントカードを持っていて、かつ今までに5本の映画をこの映画館で観ているお客さんのチケットは1000円

さっそくプログラムを書いていきましょう……といきたいところですが、まずは日本語で条件分岐を書いてみましょう。皆さんも、ifと日本語を使って、上の4つの条件を書いてみてください。

プログラムを書き始める前に日本語で考えるのは、ifの順番を決めたり、考慮漏れなどがないかをチェックしたりするのに有効な方法です。実際の開発現場でも、複雑なプログラムを書く前に、頭の中を整理するため、まず日本語で処理の流れを書いてみることがあります。

```
if(18歳より下):
tab チケットをお売りできません
elif(60歳以上):
tab チケットは1000円です
elif(5本で1本1000円サービス対象者):
tab チケットは1000円です
else:
tab 1800円です
```

　答えは一通りではないので同じでなくても問題ありません。この条件式で1つ工夫している点は、最初に問答無用で「18歳より下の年齢にはチケットをお売りできません」と表示しているところです。今回の映画のレイティングはR18+ですので、今後いかなる割引プランがキャンペーンで追加されようとも、18歳より下が対象になることはありません。他の割引プランの条件を考えるときに18歳より下の年齢のことを考えなくて済むように、先に18歳以下かどうかの条件を判定する書き方にしました。

◆ 条件をまとめる

　先ほど日本語で書いた処理の流れを参考に、プログラムを書いていければ完了なのですが、もうちょっと欲張って、より簡潔なプログラムを目指してみましょう。先ほどの条件をさらに工夫すると、elifの数を1つ少なくすることができます。次のページに進む前に、どうすればいいか少し考えてみてください。ヒントは「同じ処理をまとめる」です。

```
if(18歳より下):
tab チケットをお売りできません
elif(60歳以上):
tab チケットは1000円です
elif(5本で1本1000円サービス対象者):
tab チケットは1000円です
else:
tab 1800円です
```

　よく見ると、「60歳以上の場合」と、「5本で1本1000円サービス対象者の場合」のチケットの値段が同じ1000円ですね。ということは、条件は違っても処理は同じということです。この2つの条件はまとめられます。

「条件をまとめる」というキーワードから、つい先ほど学んだ「and」が思い出されますね。

- ▶ **60歳以上**
- ▶ **5本で1本1000円サービスの対象**

ただ、この2つの条件をandでつなげてしまうと「60歳以上で、かつ5本で1本1000円サービスの対象のとき」となってしまいます。「せっかく5本で1本1000円サービスが使えるはずなのに60歳未満だと割引が適用されない！」ということでは、お客さんからクレームが来てしまいますね。そこで今回使うのは、orという新しいキーワードです。このorを使うと、「もしくは」「または」を表現できます。orは、

　A条件　or　B条件

と書くと、A条件もしくはB条件が正しければ「True（正しい）」となります。つまり、A条件、B条件がともに「False（正しくない）」場合のみ「A条件 or B条件」も「False（正しくない）」となる、ということです。

andとorの動作は次の通りです。単純に覚えるというのではなく、考え方が合っているかの確認に利用するとよいでしょう。

Table　（A条件 and B条件）のとき

A条件	B条件	結果
TRUE	TRUE	TRUE
TRUE	FALSE	FALSE
FALSE	TRUE	FALSE
FALSE	FALSE	FALSE

Table　（A条件 or B条件）のとき

A条件	B条件	結果
TRUE	TRUE	TRUE
TRUE	FALSE	TRUE
FALSE	TRUE	TRUE
FALSE	FALSE	FALSE

このorを使って、先ほど日本語で書いた条件式をまとめてみましょう。

```
if(18歳より下)：
 tab  チケットをお売りできません
elif(60歳以上 or 5本で1本1000円サービス対象者)：
 tab  チケットは1000円です
else：
 tab  チケットは1800円です
```

orを使うことで、全体の処理が2行減って短くなりました。それではこの日本語で書いた処理を
もとに、プログラムを書いていきましょう。

Interactive Shell

```
>>> age = 35 ↵
>>> pointcard=True ↵
>>> count=5 ↵
>>> if (age < 18): ↵
... tab print('チケットを売ることはできません') ↵
... elif ((60 <= age) or ((pointcard == True) and (count == 5))): ↵
... tab print('チケットは1000円です') ↵
... else: ↵
... tab print('チケットは1800円です') ↵
```

解 説

　プログラムの行数は短くなりましたが、特にelifの条件が少し複雑なので、細かく見ていきま
す。この処理は、事前に日本語で考えたように「60歳以上の方、または5本で1本1000円サービス
対象の方」というプログラムです。

　elif ((60 <= age) or ((pointcard == True) and (count == 5))):

　左から、60歳以上の方の条件を(60 <= age)、5本で1本1000円サービスの条件を
((pointcard == True) and (count == 5))として書いています。カッコが多いです
が、日本語で考えると少しわかりやすくなります。

　(A条件 or (B条件 and C条件))

同じ()カッコが複数ありますが、これは算数で先に計算したい部分をカッコで囲うことと同じです。

5 × (3 + 2)

()カッコがあることで、3+2を先に計算した後で5を掛けるように、B条件とC条件のandの結果
を取得してから、その結果とA条件とorでTrueかFalseを確認する、という流れで処理されます。

条件分岐の考え方

　ここまで映画のチケット売り場のやりとりをプログラムで書いてみました。条件文の説明のために、現実の出来事を単純にしてプログラムにしています。「チケットの値段が表示されるだけで、なんの意味があるのかな？」と思われた方もいるかもしれませんが、実はこれはただのたとえ話ではありません。

Fig　映画チケット販売システムの画面の例

チケットの種類をお選び下さい。

0/6 枚　　選択済み				すべてをクリア
一般 General	1,800 円	択	幼児 Child （3＆up）	1,800 円
大学生 Student （College）	1,500 円	択	シニア Senior	1,500 円
高校生 Student （Hight）	1,800 円	択	夫婦 50 割引き Marriage 50 Discount	1,800 円
中 / 小学校 Studio （Jr.High,Elementary）	1,000 円	択		

戻る
（全員選択）

①上映回選択　②鑑賞人数選択　③座席選択　**④チケット選択**　⑤お支払い

　使ったことがある方も多いかと思いますが、現実の映画のチケット販売システムは、学生であれば学生割引、60歳以上であればシニア割引を選択して購入するようになっています。条件分岐はこの世に存在するプログラムシステムのすべてで使われているような基本的な考え方です。「このシステムではどのような条件分岐が使われているのかな？」というようなことを考えてみるのも、プログラミングのよい訓練になるでしょう。

まとめ

◆ 条件分岐（➡p.84）

「もし××なら○○する」という指示をプログラムに伝えることを条件分岐と呼びます。条件分岐は、if、elif、elseというキーワードを使って記述します。書式は次の通りです。

書式

```
if 条件A:
[tab] （処理） ●──────────────────── 条件AがTureになるとき実行される
elif 条件B:
[tab] （処理） ●──────────────────── 条件AがFalse、条件BがTureになるとき実行される
else :
[tab] （処理） ●──────────────────── 条件A、条件BともにFalseになるとき実行される
```

実際のプログラムでは次のように書きます。

```
>>> x = 100 ↵
>>> if (x <= 10): ↵
... [tab] print('xは10以下です') ↵
... elif (x < 30): ↵
... [tab] print('xは30より小さい数です') ↵
... else: ↵
... [tab] print('xは30以上です') ↵
... ↵
xは30以上です
```

◆ and と or（➡p.97）

and や or を使うと、複数の条件のTrue/Falseを一文で判定することができます。

▶ **「A条件 and B条件」**
> ➡「A条件がTrue かつ B条件がTrue」の場合のみTrueになり、他の場合はFalseになる

▶ **「A条件 or B条件」**
> ➡「A条件がTrue または B条件がTrue」の場合にTrueになるため、
> 「A条件もB条件もFalse」の場合のみFalseになり、他の場合はTrueになる

3-2 何度も同じことをする

繰り返し

ここでは、プログラミングにおける基本的な考え方の1つ「繰り返し」について学びます。ところで、皆さんの知っている「繰り返し」はどんなイメージでしょうか？たとえば日常生活では「毎日毎日、同じことの"繰り返し"だ！」「最近この曲がお気に入りで、何度も"繰り返し"聴いているよ。」などと言ったりしますよね。これから見ていく「繰り返し」もだいたい同じです。

 ## 繰り返しとは

　Pythonに限ったことではないですが、プログラムが得意なことの1つとして「多くのデータを処理できる」という特徴が挙げられます。もちろん、データを渡すだけで、こちらの考えた通りに自動で処理してくれるわけではないので、処理してほしい内容をプログラミングする必要があります。皆さんがプログラミングをしていると、やがて"同じことの繰り返し"を書く必要が出てくると思います。どういうことか、かんたんな例で解説してみます。

 ## ロボとペアを組んだら？

　待ちに待った学園祭で、あなたはホットドッグの模擬店をすることになりました。まずはホットドッグのレシピを確認しましょう。

1. パンを焼きます
2. ソーセージを焼きます
3. ソーセージをパンにはさみます
4. ケチャップとマスタードをかけます

　お客さんから受けた注文の数だけ、この手順でホットドッグをひたすら作るかんたんなお仕事です。

　あなたは1人でホットドックの調理を任されたわけではなく、ペアを組んで作業することになっています が、あなたの相棒は同級生ではなく、プログラムで動くロボです。お願いすれば、いろんなことが手早く完璧にできるロボですが、あなたがお願いしないと何もできない、しかも1回1回、ホットドックを作るたびにホットドックを作る手順を忘れてしまうような、あまり賢くないロボです。人間のあなたが、お客さんから注文を受けて、ロボに先ほどのレシピを毎回教えてホットドッグを作って売るのが、今回の模擬店の流れです。

1. お客さんに注文を聞き、お金を受け取ります
2. ロボにホットドッグの作り方（以下の4ステップ）を教えます

　　1. パンを焼きます

　　2. ソーセージを焼きます

　　3. ソーセージをパンにはさみます

　　4. ケチャップとマスタードをかけます

3. できたホットドッグを渡します

　午前中は人もまばらでしたが、お昼時になると人がたくさん並びはじめ、一度にまとめて10個注文するお客さんも出てきました。一度に10個注文したお客さんの対応は次のようになります。

1. お客さんに注文を聞き、お金を受け取ります

2 ロボにホットドッグの作り方を教えます

　1. パンを焼きます

　2. ソーセージを焼きます

　3. ソーセージをパンにはさみます

　4. ケチャップとマスタードをかけます

3 ロボにホットドッグの作り方を教えます

　1. パンを焼きます

　2. ソーセージを焼きます

　3. ソーセージをパンにはさみます

　4. ケチャップとマスタードをかけます

4 ロボにホットドッグの作り方を教えます

「ようやく*3つ目だ……*」

5（中略）10個できたらお客さんにホットドッグを渡します

　あなたは接客の笑顔とは裏腹にこう思うはずです。

「……せめて、一人のお客さんのホットドッグくらいは一気に作って欲しい……」

　大変でしたね。こういうときに役に立つのが、プログラムの繰り返しの機能です。この繰り返しの処理を知っていると、先ほどの10個注文するお客さんの対応が次のようになります。

1 お客さんに注文を聞き、お金を受け取ります

2 次の処理「ホットドッグの作り方」を10回繰り返します

　ホットドッグの作り方

　1. パンを焼きます

　2. ソーセージを焼きます

　3. ソーセージをパンにはさみます

　4. ケチャップとマスタードをかけます

3 できたホットドッグを渡します

2 の「次の処理を10回繰り返してください」という命令が、この章で説明する繰り返し処理です。このホットドッグのお店の例のように、毎回手順を説明するのではなく「これを○回繰り返してください」とお願いする機能です。この機能があれば、材料をたくさん仕入れて、相棒のロボットと

一緒に、千や万のホットドッグを作ることも可能になりますね。

実際にプログラムで繰り返し処理を書くときには、forやwhileというキーワードを使います。

 ## forの使い方（基本編）

forを使って、繰り返す処理を書くことができます。まずは書式です。

書式

```
for 変数 in range(繰り返したい数):
tab 繰り返したい処理
tab 繰り返したい処理
 ・
 ・
 ・
```

見慣れないものが多くて難しく感じてしまうかもしれませんが、すぐに慣れます。実際にプログラムで使ってみましょう。まずは3回繰り返す処理です。インタラクティブシェルを起動して、次のように入力・実行してみてください。

Interactive Shell

```
>>> for count in range(3): ↵
... tab print('繰り返します') ↵          ← 繰り返し表示する
... tab print(count) ↵                   ← countの数字を表示する
... ↵
繰り返します
0
繰り返します
1
繰り返します
2
```

1行目から解説していきます。countはその名の通り「カウントする」ための変数で、数字が入ります。そして、range()の中に、3という数字を入れることで、3回繰り返すように指定しています。

```
for count in range(3):
```

このforによって、次の処理が3回繰り返されます。

```
print('繰り返します')
print(count)
```

結果を見ると、「繰り返します」とcountの中の数字が表示されていますね。countの中の数字は、0から始まって繰り返すたびに1が足されていきます。

for って？

forは "for you" のように、一般的には「〜のために」として使うことが多いキーワードです。そのためあまりピンと来ないかもしれませんが、forには「〜の間ずっと」という意味もあります。これは、"for a long time" を「長い間ずっと」と訳すイメージです。Pythonではfor 〜 と書くと「〜の間ずっと」という意味となり、繰り返しに使います。Pythonに限らず、他のプログラミング言語でも繰り返しにはforというキーワードを使います。

forの使い方（応用編）

forで、先ほどは指定した数ぶん繰り返しましたが、今度は応用として、range()を書いた場所に文字列型のデータを置いて実行してみましょう。

```
>>> word = 'ninja'  ↵
>>> for chara in word:  ↵
...  tab  print(chara)  ↵
...  ↵
n
i
n
j
a
```

wordという変数に'ninja'をセットし、charaという変数に、一文字ずつ文字を格納しては表示するという処理を、文字数の回数だけ繰り返しています。ninjaは5文字なので、5回です。ここからわかるのは、forはデータの持つそれぞれの要素に対して処理をすることができるということです。書式は次の通りです。

書式

```
for 変数 in データ:
 tab  変数を使った処理
```

少し難しい概念なので、いくつかの例をもとに解説していきます。

◆forを使ったリスト型の繰り返し

forは前のページのように指定した回数、処理を繰り返すだけではなく、forにリスト型を渡すことで、リスト型に入っているそれぞれのデータに対して、同じ処理を実行できます。リスト型は、複数のデータを1つのまとまりにしたデータ型です。 2-5「データ型」リスト型➡p.66

リスト型のミュージックリストを作り、繰り返し処理でミュージックリストからデータを1つずつ表示する例を試しに実行してみましょう。

Interactive Shell

```
>>> music_list = ['DEATH METAL', 'ROCK', 'ANIME', 'POP'] ↵
>>> for music in music_list: ↵
... tab print('now playing... ' + music) ↵
... ↵
now playing... DEATH METAL
now playing... ROCK
now playing... ANIME
now playing... POP
```

　music_listという変数に、文字列型を4つ格納します。2行目のforの変数musicには、music_listの中のデータが順に入ります。リスト型を渡し、繰り返し処理の中で、print関数を使いそれぞれのデータに対して、now playing...という文字列を頭に付けて表示するプログラムです。musicの中に、リスト型の中に入っていた文字列型が1つずつ入り、print関数が繰り返し実行されたことがわかりますね。

◆forを使った辞書型の繰り返し

　次に、辞書型のデータをforの条件として使って、辞書型の中のそれぞれのデータに対して処理する例を見てみましょう。

Interactive Shell

```
>>> menu = {'ラーメン':500, 'チャーハン':430, '餃子':210} ↵
>>> for order in menu: ↵
... tab print(order) ↵
... tab print(menu[order] * 1.10) ↵
... ↵
ラーメン
550.0
チャーハン
473.00000000000006
餃子
231.00000000000003
```

変数menuは中華屋のメニューと値段を入れた辞書型のデータです。2行目でforにmenuを渡し、繰り返されるときのデータを変数orderに入れるようにしています。

```
menu = {'ラーメン':500, 'チャーハン':430, '餃子':210}
for order in menu:
```

ここで1つ気をつけたいことがあります。それは、変数orderに入るデータは、辞書型のデータではなく辞書のキーであるということです。変数orderをprint関数で表示すると、キーであるメニューが表示されます。ここでいうと、変数orderには、'ラーメン':500という辞書型のデータが入るのではなく、'ラーメン'という文字列（キー）が入ります。値段が知りたい場合は、辞書型のデータmenuに、キーである変数orderを渡します。この例では、取得したメニューの値段に対して、消費税を含めた金額を算出するために1.10を掛けて表示するようにしました[※1]。

 ## while

繰り返す処理ではforの他にwhileというキーワードを使った書き方もできます。whileは英語で「〜の間」という意味を持ちます。まずは書式を確認しましょう。

書式
```
while （条件式）:
[tab] 繰り返し処理
```

forと比べると少しシンプルですね。実際のプログラムを次のように書いて実行してみましょう。

Interactive Shell
```
>>> counter = 0 ↵
>>> while (counter < 5): ↵
... [tab] print(counter) ↵
... [tab] counter = counter + 1 ↵
... ↵
0
1
2
3
4
```

※1　Pythonのバージョンが古い場合、表示される順番が変わることがあります。

順番に確認していきます。まずcounterを定義した後、whileに続けて条件式を書きます。

```
while (counter < 5):
```

この条件式は、**3-1**「条件分岐」で説明した条件式と同様のものです。while文は、この条件式がTrueである限り、処理を繰り返し続けるので、今回はcounterが5より小さいとき、処理を繰り返します。そのため、処理を行うたびにcounterに1を足して、5回で処理が終わるようにしています。

 ## 無限ループ

　ここで気づいた方もいるかもしれませんが、counterに1を足す処理を書かなかった場合、無限に繰り返し処理を実行し続けます。これを「無限ループ」と呼びます。無限ループは私たちが困るだけではなく、パソコンにとっても負担が大きいので、無限ループしないように気をつける必要があります。ただし、もし、うっかり無限ループになってしまっても、キーボードの Ctrl + C キーキー（Macは control + C キー）を同時に押せば、プログラム処理を中断できますので、覚えておくとよいでしょう。止め方を知ってさえいれば無限ループも怖くはありませんので、次の例を実行してみましょう。同じ文字がずっと表示されるので、一見よくわからないかもしれませんが、実はすごい速さで0が表示され続けています。

Interactive Shell

```
>>> counter = 0 ↵
>>> while (counter < 5): ↵
... tab print(counter) ↵
0
0
…省略
0
0
^C0                                          ここでループを止めた
Traceback (most recent call last):
  File "<stdin>", line 2, in <module>
  KeyboardInterrupt
```

　無限ループは、次に説明するbreakと一緒に意図的に実装することもあります。

 **break**

　まずは、breakを使うとどのようなことができるかを具体的に説明します。突然ですが、「力の限りたたかう」というフレーズを聞いたことがありませんか？この言葉をこれからプログラムで表現してみます。まず、先ほど学んだwhileを使って無限にたたかってみます。whileの条件式は()の中に書きますが、ここにTrueと書きます。こうすることで、whileの条件式が常に正になり、ループがずっと繰り返されるようになります。次に「たたかう」を無限に表示するプログラムを書きます。本当に無限に表示されますので、飽きたらキーボードの Ctrl キー（ control キー）を押しながら C キーを押してループを止めてください。

```
>>> while(True): ↵
... tab print('たたかう') ↵
... ↵
たたかう
たたかう
…省略
^Cたたかう ●────────────── ここでループを止めた
Traceback (most recent call last):
  File "<stdin>", line 2, in <module>
  KeyboardInterrupt
```

　「無限にたたかう」をプログラムで表してみました。しかし、今回取り組むのは、「無限にたたかう」ではなく、「力の限りたたかう」です。力がなくなったら「たたかい」を止めたいと思います。これを表現するために、先ほどのプログラムを改変し、whileで記述したループの中にbreakを仕込みます。このbreakですが、プログラムは基本的に常に上から処理を実行していきますが、このbreakの場所を通ると、ループが止まります。次のプログラムを実行してみてください。

```
>>> while(True): ↵
... tab print('パンチ') ↵
... tab print('キック') ↵
... tab break ↵
... tab print('必殺奥義') ↵
... ↵
パンチ
キック
```

まず1行目でwhileを書き、無限にループさせるため、条件式にはTrueを書いています。そして、上から「パンチ」「キック」「必殺奥義」を並べましたが、「必殺奥義」の前にbreakを書きました。これを実行すると、「パンチ」と「キック」だけ表示されます。つまり、無限ループの式の中でも、breakを通ったことで、ループが止まったのです。この書き方では、一度もループすることなくbreakを書いた場所で止まります。

ただし、先ほどから言っている通り、今回作りたいのは「力の限りたたかう」です。これまでのプログラムを少し変えると「力の限りたたかう」が実現できます。ここで再度登場するのが、3-1で紹介した「条件分岐」の機能です。3-1をしっかり理解した方には、どのような条件を書くかわかるはずです。お察しの通り「もし力がなくなったら」という条件です。その条件を使うためには「力」を設定しないといけませんね。力を変数powerとして定義し、「パンチ」「キック」「必殺奥義」を行うと力を1消費するプログラムを書いてみましょう。

Interactive Shell

```
>>> power = 2 ↵
>>> while(True): ↵
... tab print('パンチ') ↵
... tab print('キック') ↵
... tab print('必殺奥義') ↵
... tab power = power -1 ↵
... tab if (power == 0): ↵
... tab tab break ↵
... ↵
パンチ
キック
必殺奥義
パンチ
キック
必殺奥義
```

解説

それぞれの攻撃を表示した後、powerから1引いた値を変数powerにセットしています。

```
power = power -1
```

「パンチ、キック、必殺奥義を繰り出すたびに力が1減る」ことを表しています。この処理がないと無限ループになってしまいます。

そして、7行目の条件文で、もしpowerが0になったらbreakを実行してループを終わらせます。結果、それぞれの攻撃を2回ずつ行って、力つきたことがプログラムで表現できました。今回はwhileで説明をしましたが、forでももちろんbreakは使うことができます。

◆ continue

continueは、繰り返し処理をスキップしたいとき（飛ばしたいとき）に使います。先ほどのbreakは繰り返し回数が残っていても終了しますが、continueは、繰り返し回数が残っている限りは終了しません。今回はforを使った繰り返し処理でcontinueの使い方を解説します。

次に示すプログラムの例は、3人の子供がいる家族です。familyという変数に、子供の名前を入れます。そして今回学んだforを使って、それぞれの子供に対して処理していきます。

Interactive Shell

```
>>> family = ['ryu-ko', 'mako', 'satsuki']
>>> for kid in family:
...  tab print('おはよう!' + kid)
...  tab print('起床')
...  tab print('朝ごはん')
...  tab continue
...  tab print('学校に出発')        ← この処理はスキップされる
...
おはよう!ryu-ko
起床
朝ごはん
おはよう!mako
起床
朝ごはん
おはよう!satsuki
起床
朝ごはん
```

　6行目にcontinueが入っていますね。最後のprint('学校に出発')が、どの子供のときも処理されていないのは、このcontinueを入れたことによってスキップされたためです。このようにcontinueは、繰り返し処理の中で、continueの後の処理をスキップして、次の繰り返し処理に移行する、というような処理を書きたいときに使用します。たとえば条件分岐の式で、休みの日だけcontinue文を通るようにすると、平日は「学校に出発」が表示されて、お休みの日は表示されない、というような使い方です。そしてもちろん、continueはwhileの中でも使うことができます。

　ちなみに、このプログラムのcontinueをbreakに書き換えると、ryu-koだけ「起床」して、「朝ごはん」を食べたところで終了することになります。

 ## まとめ

　同じプログラムを繰り返して処理するときには、forまたはwhileを使ってプログラミングするということを学びました。

◆ forを使い、決まった回数の繰り返し処理を行いたいとき（➡p.104）

```
書式

for 変数 in range(繰り返したい数):
[tab] 繰り返したい処理(変数には0から順に数字が入る)
```

◆ リスト型に入れたデータに、それぞれ同じ処理を繰り返したいとき（➡p.106）

```
書式

for 変数 in リスト型:
[tab] 繰り返したい処理(変数にはリストの要素が入る)
```

◆ 辞書型に入れたデータに、それぞれ同じ処理を繰り返したいとき（➡p.107）

```
書式

for 変数 in 辞書型:
[tab] 繰り返したい処理(変数には辞書のキーが入る)
```

♦ whileを使って、決まった条件の間繰り返し処理を行いたいとき（➡p.108）

> **書 式**
>
> while （条件式）：
> [tab] 繰り返したい処理
> [tab] 条件の変更

♦ breakを使って、途中で処理を終了させたいとき（➡p.110）

> **書 式**
>
> 繰り返し処理の中で：
> [tab] break

♦ continueを使って、途中で処理をスキップさせたいとき（➡p.112）

> **書 式**
>
> 繰り返し処理の中で：
> [tab] continue

Pythonのインデントについて

　言語仕様でインデントが強制されている、というのはPythonというプログラミング言語の大きな特徴の1つです。他にインデントが強制されるような言語は、メジャーなものではほとんどありません。この「インデントの強制」は、筆者がPythonを好きな理由の1つでもあります。一人で少ない行数のプログラムを書いているとあまり感じませんが、インデントが強制されるメリットは、たくさんの人たちと一緒に作るプログラムや、行数が多いプログラムで大きな力を発揮します。

　Pythonも含めて、プログラミング言語にはそれぞれのルールや文法による制限があります。制限が少なく、自由であればあるほど、いろいろな書き方ができるということになります。それゆえに、各個人の好みやクセが出てきて、同じ機能をプログラミングしても、書いた人が違えば、全然違うプログラムに見える、ということもあります。そういうものですので、Pythonのようにインデントが強制されていると、だれが書いても、プログラムの見た目がそろっていて読みやすいのです。プログラマーというと、ひたすらプログラムを書くイメージがあるかもしれませんが、他人のプログラムを読む機会は書くのと同じぐらい多いものです。さらに、「どんなプログラマーであっても、3ヶ月も経てばいろいろ忘れるので、自分の書いたプログラムも他人のコードのように見えてくる。未来の自分を含め、誰が読んでもわかるようにわかりやすく書くべし」というような格言もあります。以上のような理由から、Pythonのように言語仕様としてインデントが強制されるというのはよいことだと筆者は思います。

関数

3-3

装置を作る

プログラミングには関数と呼ばれる機能があります。関数は、いくつかの処理を1つにまとめて、後から呼び出せるようにする機能です。いつものようにかんたんな例で説明してみます。

関数とは

　全自動洗濯乾燥機をご存じでしょうか。洋服と洗剤を入れれば、ボタンを押すだけで、洗濯から乾燥までしてくれるすごい機械です。どのようなことが洗濯機の中で行われているか、想像してみましょう。

洗濯機の中では何がおきている？

① 給水する

② 回転させて、洋服をしっかり濡らす

③ 洋服を洗うために、回転と逆回転を繰り返す

④ 洗剤をすすぐために、排水と給水を繰り返しながら回転

5 すすぎ終わったら、脱水するために、高速回転

6 脱水が終わったら、乾燥のために、温風を出しながら回転

　詳しいことはわかりませんが、このようなことを全自動洗濯機は実行していると考えられます。「なんで洗濯機なんだ？」と思われたかもしれませんが、ここで言いたいことは、全自動洗濯機を使っている人は、細かく内容を把握しなくとも、いくつかのボタンを押すだけで毎回洗濯から乾燥まで完了できるということです。いわば、洗濯機を作った技術者たちが、洗濯物をきれいに洗うように組んだプログラムを、私たちは、ボタン1つで実行しているといえます。

　この洗濯機のように、いろいろな処理が機能として1つにまとまっているものを、プログラミングでは関数と呼びます。洗濯機のボタン1つでいろいろな処理を動かすように、プログラム内では関数を呼び出して、関数が持っている機能を使います。

 ## 関数の作り方

　まずは書式を確認しましょう。関数を作るにはdefというキーワードを使います。defの次に、関数に付けたい名前を書きます。もちろん予約語は使えません。（予約語➡p.54）defは英語のdefine（定義する）から来ていて、「関数をdefine（定義する）」という意味を表します。そして関数の名前の後には( )を書きます。なぜ( )が必要なのかは後で説明します。ひとまずここでは( )を書くということだけ覚えてください。1行目の最後には：（コロン）を付けます。

書式

```
def 関数の名前( ):
[tab] 処理1
[tab] 処理2
 ・
 ・
 ・
```

　2行目からは、左端にはスペースをあけて、この関数の中身を書いていきます。ここでは処理1と処理2という2つの処理を書いていますが、必要であれば好きなだけ追加していくことができます。ただし、あまり処理が多くなっていくと、プログラムが読みづらくなってしまうので、気をつけましょう。

関数の使い方

　先ほどの書式を使って、実際に動作するプログラムを書いてみましょう。冒頭で紹介した洗濯機の処理をかんたんに並べてみます。まずはdefと、関数の名前を書きます。ここでは、washingMachine（洗濯機を意味する英単語）とします。処理はすべてprint関数で順番に書きます。

　関数の定義が終わった後、続けてこの関数を呼び出します。呼び出し方はかんたんで、関数名の後に( )を書いて実行するだけです。次の例を実行してみましょう。

Interactive Shell

```
>>> def washingMachine(): ↵
... tab print('給水します') ↵
... tab print('洗います') ↵
... tab print('すすぎます') ↵
... tab print('脱水します') ↵
... tab print('乾燥します') ↵
... ↵
>>> washingMachine() ↵ ●━━━━━ 関数を呼び出す
給水します
洗います
すすぎます
脱水します
乾燥します
```

　関数を呼び出すと、関数の中に定義した処理である洗濯機の動作を実行できることが確認できました。関数が便利なのは、この例のように洗濯機の処理を一度書いてしまえば、後から洗濯機のボタンを押すように、呼び出すだけで複数の処理を何度でも実行することができるという点です。まとまった処理を繰り返し使うときは、関数にまとめるとプログラムの行数が少なくなり、すっきりした読みやすいプログラムになります。

状況に応じて処理を変える関数

ここまでで解説した通り、関数は、あらかじめ定義した複数の処理を、後からまとめて呼び出すことができる機能です。さらに、全く同じ処理をさせるだけではなく、状況に応じて異なる処理をするようにプログラミングすることもできます。「状況に応じて異なる処理をする」といっても少しわかりづらいと思うので、洗濯機の例を使ったプログラムで順番に説明します。

 ## 洗濯関数を作る

もちろん、実際に洗えるわけではないのですが、今回プログラミングするのは、洗濯の「モード」です。皆さんの普段着ている服のなかには、やさしく洗いたい繊細な服があるかもしれません。そこで、先ほどの洗濯機の関数と似ていますが、やさしく洗うsoftWashという名前の関数を作ってみます。

Interactive Shell

```
>>> def softWash ():
... tab print('給水します')
... tab print('やさしく洗います')
... tab print('すすぎます')
... tab print('脱水します')
... tab print('乾燥します')
```

定義しただけなので何も表示されませんが、やさしく洗う関数を作りました。今度は落ちにくい汚れを落とすために激しく洗うモードも作りたくなってきました。再び先ほどの関数と同じ処理で、洗う部分だけ「激しく洗う」ように変えた関数が必要ですね。

♦ 条件分岐を使って処理を書く

ところで、ほとんど同じような処理を何回も書いていることに気づいたでしょうか？　このままでもいいのですが、もっと便利に書くこともできます。3-1で学んだ条件分岐を使って「やさしく洗う」「ふつうに洗う」「激しく洗う」という洗い方の部分だけを変える処理を書いてみましょう。洗い方をmodeという変数に入れて、まず条件分岐の処理だけを書きます。

Interactive Shell

```
>>> mode = 'soft'  ↵ ●─────────────────── やさしく洗うモードを設定
>>> if (mode == 'soft'):  ↵
... [tab] print('やさしく洗う')  ↵
... elif (mode == 'hard'):  ↵
... [tab] print('激しく洗う')  ↵
... else:  ↵
... [tab] print('ふつうに洗う')  ↵
...  ↵
やさしく洗う
```

　modeにsoftという文字列を入れた後、条件分岐を書きました。もしmodeがsoftなら「やさし
く洗う」。もしmodeがhardなら「激しく洗う」。それ以外なら「ふつうに洗う」という処理です。た
だ、今回は最初からmodeにsoftを入れて条件分岐を通るようになっているので、どう実行して
も「やさしく洗う」しか表示されません。

◆ 関数の中に条件分岐の処理を書く

　次に、この条件分岐の処理を関数の中に書いて実行してみます。考えなければいけないことは、
関数の中に入れたmodeを変更する方法です。先ほどの条件分岐のプログラムをそのまま関数の中
に書いても、modeを変えることはできません。そこで使うのが「引数」です。引数とは関数を呼ぶ
ときに、データを渡すことができる仕組みです。言葉だとわかりにくいので、実際のプログラムで
説明していきます。

Interactive Shell　　関数を定義

```
>>> def washingMachine(mode):  ↵
... [tab] print('給水します')  ↵
... [tab] if (mode == 'soft'):  ↵
... [tab] [tab] print('やさしく洗う')  ↵
... [tab] elif (mode == 'hard'):  ↵
... [tab] [tab] print('激しく洗う')  ↵
... [tab] else:  ↵
... [tab] [tab] print('ふつうに洗う')  ↵
...  ↵
```

少し長くなりましたが、これで洗濯機関数ができました。この関数を呼び出しましょう。呼び出すときに、関数の()の中に引数として'soft'か'hard'を入れて実行するとそれにあったモードが表示されます。この「()の中に引数を入れて実行する」ことを、プログラミング的には「引数を渡す」といいます。p.116で、あとで説明すると言っていた関数のあとに()が必要な理由は、この引数を渡すためでした。

解 説

1行目で、washingMachineの後ろの()の中にmodeと書いています。

```
def washingMachine(mode):
```

この関数が呼び出されるときに渡されてくる引数を入れる変数がmodeです。このように、関数を定義するときに引数も一緒に定義しておくことによって、関数を呼び出すときにデータを渡すことができるようになります。この関数を呼び出すときには

```
washingMachine('soft')
```

と、関数名と、()の中に'soft'と入れて実行しました。washingMachineの()の中にsoftという文字列を入れて実行すると、「やさしく洗う」と表示されました。
　ここで起きていることを順に見ていくと、上から次のような順番で実行されています。

1 まず、washingMachine('soft')が実行されると、
2 softという文字列のデータが関数に渡され、
3 modeという変数に入ります。
4 print('給水します')が実行されます。
5 条件文ifの中で、変数modeに入っているデータをsoftと比較し、
　➡同じならprint('やさしく洗う')を実行します。
　➡変数modeの中に入っているのが、softでなかった場合は、
6 次にhardという文字列と比較します。

今まで学んだ条件文の処理と同様ですね。

Interactive Shell　引数を渡しながら関数を呼び出す

```
>>> washingMachine('soft') ↵
給水します
やさしく洗う
>>> washingMachine('hard') ↵
給水します
激しく洗う
```

'soft'と'hard'を打ち間違ったりしていなければ、このように表示されます。もし'soft'と'hard'以外のデータを渡して呼び出すと、次のように表示されます。

 Interactive Shell

```
>>> washingMachine('normal') ↵
給水します
ふつうに洗う
```

条件分岐のところで学んだ通り、elseに分岐され、elseの処理が実行されたということですね。もしよく覚えていない、忘れかけているという方は、よく復習しておくようにしましょう（else➡p.87）。

今回は例として、washingMachineという名前の関数を、modeという引数を1つ使うように定義しましたが、引数は、2つでも3つでも設定することができます。

 ## 関数はデータを返してくれる

関数には、呼び出すと渡した引数を使って処理を実行する以外に、もう1つ大事な機能があります。それは、データを返してくれる機能です。ただ処理を実行して結果を表示するだけではなく、データを返して（渡して）くれる、ということです。そうは言っても、あまりイメージがわきませんね。具体的にプログラムで説明します。

 ## 円の面積を計算する関数

先ほど学んだ引数を使って、円の面積を計算する関数を作ってみましょう。引数として半径を渡すと、結果として面積を返してくれる関数です。

```
>>> def area(radius): ↵
... tab result = radius * radius * 3.14 ↵
... tab return result ↵
... ↵
>>>
```

関数名をarea（面積）、引数をradius（半径)とします。円周率は小数点2桁まで、3.14です。
円の面積を求める公式は

半径 × 半径 × 3.14

なので、2行目でその通り計算式を書き、答えをresultという変数にセットします。これで関数
ができました。この関数を使ってみましょう。引数に5を渡して呼び出します。

```
>>> area(5) ↵
78.5
```

78.5と表示されました。半径5cmの円なら面積は78.5cm^2、半径5mの円なら面積は78.5m^{2}と
いうことがわかりました。

解　説

3行目には新しくreturnというキーワードが登場していますね。

```
... tab return result ↵
```

returnは「返ってくる」という意味で、関数を呼び出したときに「returnの右に書いたデータ」
を返す役割があります。実際、area関数を呼び出すと78.5という答えが返ってきています。
　データを返す関数を使うときには、先ほどの例のようにすぐに表示させたりする他、返ってきた
データをいったん変数に入れることもできます。具体例を次のプログラムで見ていきましょう。

```
Interactive Shell
>>> small = area(5) ↵
>>> big = area(10) ↵
>>> print(small) ↵
78.5
>>> print(big) ↵
314.0
```

1行目と2行目で、半径5の小さい円の面積をsmallに、半径10の大きい円の面積をbigに、それぞれの関数の結果を変数にセットしています。このように、関数を呼び出したときに返ってくるデータを、プログラミング用語で返り値（かえりち）、戻り値（もどりち）などと呼びます。本書では返り値で統一します。この名前は今後も使うので、覚えておいてくださいね。

 組み込み型の関数

ここまで、関数の定義の仕方と呼び出し方、引数、返り値について学んできました。最後に、組み込み型の関数について学びます。組み込み型というと難しく感じてしまうかもしれませんが、組み込み型関数を言い換えると、私たちが定義しなくても、あらかじめ使えるようになっている関数のことです。なかでも使用することが多い便利な関数をここで紹介します。

♦ len()

len関数は、引数に渡したデータの長さや要素の数を返してくれます。次のようにして使います。

```
Interactive Shell        文字数を数える
>>> len('thunderbolt') ↵
11 ↵
```

```
Interactive Shell        要素の数を数える
>>> animal = ['cat','dog','duck'] ↵
>>> len(animal) ↵
3
```

lenとはlengthの略で、名前の通り「長さ」を算出してくれる関数です。1つ目の例では、文字列型のデータthunderboltの文字数を返しています。2つ目の例では、リスト型で定義したanimalというデータの要素の数を返しています。

♦ max()、min()

名前から想像がつくかもしれませんね。引数で渡したデータの中から、最も大きいものを返してくれるのがmax関数、最も小さいものを返してくれるのがmin関数です。

Interactive Shell

```
>>> max(100,10,50) ↵
100
>>> min(300,30,3000) ↵
30
```

数値だけではなく、文字列にも対応しています。いったい何を返してくれるのでしょうか？　実行例を見てみましょう。

Interactive Shell

```
>>> max('thunderbolt') ↵
'u'
```

このように、max関数なら渡した文字列の中でアルファベットで最も「z」に近い文字、min関数なら「a」に最も近い文字が1つだけ表示されます。

また、文字と数字を混ぜた文字列型でも使うことができます。

Interactive Shell

```
>>> min('1Aa') ↵
'1'
>>> max('1Aa') ↵
'a'
```

結果の表示の順番は、**数字 → 大文字英字 → 小文字英字**となっています。

◆ sorted()

sorted関数は、渡したデータを並べ替えて、リスト型で返してくれる関数です。並べ替える順番は、先ほどのmax関数、min関数と同様に**数字 → 大文字英字 → 小文字英字**です。

Interactive Shell

```
>>> sorted('thunderbolt') ↵                          ───── 文字列型を渡した場合
['b', 'd', 'e', 'h', 'l', 'n', 'o', 'r', 't', 't', 'u']
>>> sorted('1Aa') ↵                                  ───── 文字列型を渡した場合
['1', 'A', 'a']
>>> sorted([100, 95, 55, 78, 80, 78]) ↵              ───── リスト型を渡した場合
[55, 78, 78, 80, 95, 100]
```

◆ print()

今まで何度も使ってきたprint関数は、実は組み込み型の関数でした。皆さんが充分ご存じの通り、表示のために使用する関数です。

Interactive Shell

```
>>> print(988+12) ↵
1000
>>> print('Hey! World') ↵
Hey! World
```

◆ type()

Pythonにはさまざまな種類のデータがあります。そして、変数を使って、そのデータを別の名前で保持しておくこともできます。インタラクティブシェルを使ってしばらくいろいろと実行していると、ふいに「これはいったいどんな型のデータだったかな？」とわからなくなっても、さかのぼるのが大変、ということがあります。そんなときに便利なのがこのtype関数です。type関数の引数に調べたいデータを渡すと、そのデータがどんな型のデータかを表示してくれます。

```
>>> hatena_1 = 9800 ↵
>>> type(hatena_1) ↵
<class 'int'>  ●──────────────────────── 数値型
>>> hatena_2 = 'marshmallow' ↵
>>> type(hatena_2) ↵
<class 'str'>  ●──────────────────────── 文字列型
>>> hatena_3 = ['osomatsu', 'karamatsu'] ↵
>>> type(hatena_3) ↵
<class 'list'>  ●─────────────────────── リスト型
```

　それぞれ、intは数値型、strは文字列型、listはリスト型を表しています。プログラムを書いているうちに、何のデータだったかを確認したいときにはtype関数のことを思い出してください。

♦ dir()

　dir関数は、インタラクティブシェルでよく使われる組み込み関数です。 2-5「データ型」➡p.59 では、データ型の種類に応じてそれぞれ便利なメソッドが用意されているのをいくつか紹介しました。それらを忘れてしまったとき、リファレンスを参照しなくとも、このdir関数を使えば、思い出すきっかけを作ることができます。

```
>>> string = 'nikuman' ↵
>>> dir(string) ↵
['__add__', '__class__', '__contains__', '__delattr__', '__dir__',
'__doc__', '__eq__', '__format__', '__ge__', '__getattribute__',
'__getitem__', '__getnewargs__', '__gt__', '__hash__', '__init__',
'__iter__', '__le__', '__len__', '__lt__', '__mod__', '__mul__', '__ne__',
'__new__', '__reduce__', '__reduce_ex__', '__repr__', '__rmod__',
'__rmul__', '__setattr__', '__sizeof__', '__str__', '__subclasshook__',
'capitalize', 'casefold', 'center', 'count', 'encode', 'endswith',
'expandtabs', 'find', 'format', 'format_map', 'index', 'isalnum',
'isalpha', 'isdecimal', 'isdigit', 'isidentifier', 'islower', 'isnumeric',
'isprintable', 'isspace', 'istitle', 'isupper', 'join', 'ljust', 'lower',
'lstrip', 'maketrans', 'partition', 'replace', 'rfind', 'rindex', 'rjust',
'rpartition', 'rsplit', 'rstrip', 'split', 'splitlines', 'startswith',
'strip', 'swapcase', 'title', 'translate', 'upper', 'zfill']
```

例では、nikumanという文字列を渡して、文字列型の変数stringを作りました。その stringをdir関数の引数に渡すと、何かがたくさん表示されましたね。これは、文字列型が持っ ているメソッドのリストです。このリストの中をよく見ると、**2-5**「データ型」で紹介した文字列 型のメソッドupperやcountがあるのが確認できます。そして、紹介した以外にもたくさんのメ ソッドを持っていることもわかります。たとえばtitleというメソッドは、文字列型で渡した データの最初の文字を大文字にする機能です。自分が知っている他にも使えそうなメソッドがない か、dir関数を使って、探してみるのもよいでしょう。

さらに、dir関数にはもう1つ、便利な使い方があります。dir関数を、引数を渡さずに実行し てみてください。

Interactive Shell

```
>>> dir() ↵
['__builtins__', '__cached__', '__doc__', '__loader__', '__name__',
'__package__', '__spec__', 'hatena_1', 'hatena_2', 'hatena_3', 'string']
```

今度は、先ほどとは違うリストが返ってきました。このリストの後ろには、hatena_1、 hatena_2という、前にtype関数の説明をするときに入力したデータが表示されています。この ように、dir関数に引数を渡さずに実行することで、そのdir()が実行された場所で利用可能な、 データのリストを表示してくれます。今まで見てきたように、いろいろな処理をインタラクティブ シェルで実行していると画面がどんどん流れていって、後から「そういえば、なんていう変数に データを作っていたんだっけ?」となることがありますが、そんなときに引数を渡さずに実行して データのリストを表示させるのも、このdir関数の使いみちの1つです。

 まとめ

関数の作り方と使い方、組み込み関数の使い方について学んできました。Pythonの公式サイト の日本語訳版には、すべての組み込み関数の情報が掲載されています。どのような関数があるのか 見ておくと、必要になったときに思い出せるかもしれません。

▶ Python3組み込み関数マニュアル
URL https://docs.python.org/ja/3/library/functions.html

3-4

間違ったとき、想定外のとき
エラーと例外

これまでPythonプログラムを実行してきたなかで、うっかりした入力ミスや操作ミスなどによって、エラーを見た方もいることと思います。エラーが出るとドキッとしますが、エラー自体は決して悪いことではありません。ここではそんなエラーの内容を確認していきます。それとは別に「例外」の概念も学びます。しっかり理解していきましょう。

「エラーはわかるけど、例外って何？」と思われた方もいるのではないでしょうか。この2つは少しわかりづらいのですが、あまり考え込まずに、まずはエラーから見ていきましょう。

 ## エラーとは

エラーとは、プログラムが予期せず止まってしまう現象です。たとえば、文字列をprint関数を使って表示させたいときに、最後の'（シングルクォーテーション）を書き忘れると、次のようなエラーが発生します。

 **Interactive Shell**

```
>>> print('hello) ↵
  File "<stdin>", line 1
    print('hello)
          ^
SyntaxError: unterminated string literal (detected at line 1)
```

一口にエラーといっても、発生する原因はさまざまです。ここではPythonのプログラム上で発生するエラーについて見ていきます。

エラーの種類

Pythonのプログラム上で発生するエラーは、大きく分けて2つの種類があります。1つは、Pythonの構文（書き方のルール）が間違っている場合に発生するエラー。もう1つは、Pythonが動作中にデータをうまく処理できなくなった場合に発生するエラーです。

1. Pythonの構文（書き方のルール）が間違っているとき

2. Pythonが実行中にデータをうまく処理できないとき

♦ Pythonの構文（書き方のルール）が間違っているとき

1つ目のエラーは、冒頭で示したような、Pythonのプログラムを書くにあたって決められている文法に反して、書き方にミスがある場合です。エラーメッセージでは、「SyntaxError」（シンタックスエラー）と表示されます。Syntaxを訳すと「構文」です。SyntaxErrorが表示されたときは、何か書き忘れていないか、たとえば'（シングルクォーテーション）や()カッコがちゃんとあるか、注意して見直してみましょう。特に終わりのカッコ「)」は忘れがちです。

Pythonのエラーメッセージは（機械的に判定しているので、必ずしも的確とは限りませんが）間違っていると思われる箇所を^という記号で矢印のように示してくれますので、それを参考に間違いを修正します。

♦ Pythonが実行中にデータをうまく処理できないとき

2つ目のエラーは、実行中にデータをうまく処理できないときに発生するエラーです。この「実行中に」というのがポイントで、言い方を変えると「実行されなければエラーにはならない」ということです。さっそくプログラムで確認してみましょう。

print関数でhelloと表示するプログラムで、printを間違えてprinと書いてしまうと、当然エラーになります。

```
>>> prin('hello')
Traceback (most recent call last):
  File "<stdin>", line 1, in <module>
NameError: name 'prin' is not defined. Did you mean: 'print'?
```

エラーメッセージの内容はNameError: name 'prin' is not defined. Did you mean: 'print'?となっています。これを意訳すると「プログラムに書いてあるとおりprinを実行しようと思いましたが、prinという名前が定義されていないので、エラーになりました。'print'ではないですか？」という内容です。

一方、次のプログラムを見てください。

```
>>> if (False):
...  tab  prin('hi!')
...
```

最初の例と同じように、prinという名前の関数を実行しようとしていますが、特に何もエラーが発生しません。それは、このprinの上に書いている条件文の条件がFalseに設定されているので、ifの()の中がFalseのときのルール通りに、prinの行を実行していないからです。

先ほどのSyntaxエラーと違い、prinという関数がないことは、Python（プログラム）にとっては、実際に実行してみるまでわからなかった、ということです。

エラーにはさまざまなパターンがありますが、いずれの場合もエラーの原因は一番下に表示されます。エラーが発生すると一度に英語で3行以上のメッセージが表示されるのでびっくりしてしまうかもしれませんが、まずは落ち着いて一番下のメッセージの内容を読んでみることを習慣にしましょう。

 ## 例外とは

先ほど解説した2つのエラーのうち、2つ目の「実行中にデータをうまく処理できないエラー」は例外と呼ばれています。さらに、その「例外」には多くの種類があります。数が多いので、本書ですべてを紹介することはできませんが、日本語のドキュメントにまとめられているので、エラーが発生して原因がわからないときは、これらのページを確認すると解決の助けになるでしょう。

▶ Python 3.10 例外について
URL https://docs.python.org/ja/3/library/exceptions.html

130

例外の扱い方

ここでは、例外の対処法を紹介します。実は、ある程度の大きさのプログラムであれば、例外や
エラーがまったく発生しないプログラムというのは基本的にはありません。まずは、それだけ「例
外」はありふれたもので、よく発生するものであるということを知っておいてください。ただし、
その「よく発生する例外」をそのままにしておくと、プログラムは停止してしまいます。

♦ 例外の対処

例外の対処について、おおまかに説明をすると、**例外が発生しそう**な箇所や、実際に**例外が発生
した**箇所に対して、例外が発生したときに、ただプログラムが停止するのではなく、状況にあった
メッセージを出すようにしたり、あるいはログ（記録）だけ残して、動作が変わらないようにしたり
する、といった処理を書くことで対処します。細かい説明の前に、まずは書式と、実際のプログ
ラムでの動きを確認しましょう。

 例外処理の使い方

例外に応じた処理をPythonで行うためには、try：〜 except：というキーワードを使います。
書式は次の通りです。

書式

```
try :
tab 処理A （エラーが発生するかもしれない処理）
except :
tab 処理B
```

エラーが発生するかもしれない処理Aの上の行にtryを、下の行にexceptを書きます。そうす
ると、処理Aで発生した例外をキャッチして、exceptの下の処理Bを実行するという仕組みです。
この「キャッチ」とは、エラーが発生して、プログラムを止めようとするのをキャッチしておさえ
こむ、というイメージです。以上の処理を例外処理と呼びます。

Fig 例外をキャッチしないとエラーになる

先ほどの書式の通り、実際にプログラムにしてみると次のようになります。

Interactive Shell

```
>>> try: ↵
... tab prin('例外が発生してしまう処理') ↵
... except: ↵
... tab print('例外をキャッチしました') ↵
... ↵
例外をキャッチしました
```

tryというキーワードを使って、最初のほうに紹介した例外NameErrorを発生させる処理を2行目に書きました。printとするところがprinになっていますね。このミスによって例外が発生しましたが、tryの中に書いていたために、例外がキャッチされ、exceptの下の処理が実行されました。その結果、「例外が発生してしまう処理」という文字列は表示されず、「例外をキャッチしました」という文字列を表示する処理だけが実行されました。結果にもエラーは表示されていませんね。

コラム
例外処理の使いどころ

少し高度な話題です。今回、例外処理のサンプルとしてprint関数を書き間違えたエラーをキャッチする例を取り上げましたが、このエラーは例外処理で防ぐのではなく、printを正しいスペルに修正し

て対処するべきところです。「それでは、どのような場合に例外処理を書くのが良いのか？」という疑問が浮かぶと思います。その答えの1つとして、「外部とやりとりする処理」が挙げられます。現在はPythonでさまざまな文法を学びながら自分の書いた短いプログラムを動かすだけという段階ですが、いずれできることが増え、複雑で長いプログラムを書くようになってくると、自分の書いたプログラムを使い、インターネットを通じて処理を実行したり、ダウンロードした画像ファイルを扱ったりすることがあるかと思います。そのように、自分の書いたプログラムで外部（別のプログラム、別のマシンなど）とやりとりするときに、やりとりする相手のプログラムや環境によって予期せぬ例外が発生してしまう場合があります。そんなときにプログラムが途中で止まったりしないために、例外処理を書きます。例外処理を書いて、適切にエラーの内容を表示するようにしましょう。

　例外処理の良くない使い方というのもあります。良くない使い方としては、次のようなものが挙げられます。

❶キャッチした例外に対して、何も行わず、問題が起きていないかのように振る舞うプログラム

❷try:~except:でくくる範囲が広いプログラム

実際に❶の例を見てみましょう。

Interactive Shell

```
>>> try:
...  tab  orin ●━━━━━━━━━━━━━━━━━━━━━━━━━━━ 間違ったプログラム1
...  tab  prin ●━━━━━━━━━━━━━━━━━━━━━━━━━━━ 間違ったプログラム2
... except:
...  tab  print('安心してください。大丈夫です')
...
安心してください。大丈夫です
>>>
```

　プログラムが間違っていて、実際に処理が正しく行われていないのに「安心してください。大丈夫です。」というメッセージが表示されます。今回の例ではわかりやすく単純化しているので冗談のように見えますが、実際の開発現場でもこのようなことは起こりえます。これでは、実際に間違ったプログラムが書かれているのにもかかわらず、表面上は例外が発生していないように見えてしまいます。このように、例外をキャッチしながら、何も問題が起きていないかのように見せる例外処理の書き方を「例外を握りつぶす処理」と呼びます。その場しのぎにはなりますが、ゆくゆくは大問題に発展するかもしれない、たいへん危険なプログラムです。

　❷のようなプログラムの場合は、「何かがおかしい」と気づいた他の人が、このプログラムを読んでも、どこで問題が起こっているのか検証するのが大変です。try:~except:の中のどこかが良くない、というのはわかりますが、それが具体的にどこの行なのかというのを改めて検証しなければなりません。数行のプログラムならよいですが、数千行、数万行というような巨大なプログラムでは困ってしまいますよね。勉強している間はまだそこまで気を使う必要はありませんが、開発の現場では「（未来の自分も含め）他人が読んでわかりやすいプログラム」を書くことが求められるのです。

例外の内容を例外処理で取得する

　ここまでで、例外が発生したときに、プログラムで適切に処理をするために例外処理を書くという説明をしました。ところで、「適切な処理」とは何でしょうか。その答えの1つは「例外の内容を取得して、ログに残したり、メッセージとして表示する」処理です。ここでは、例外をキャッチした後、何をするかについて解説します。

　次のように実行してみてください。

```
>>> try: ↵
... tab prin('a') ↵
... except Exception as e: ↵
... tab print(e) ↵
... ↵
name 'prin' is not defined
```

　例外自体は、ここまでにもよく出てきているprintの入力ミスprinですが、exceptの後にException as eというキーワードを新たに追加しています。これは「Exception型の例外をキャッチして、キャッチしたデータを変数eにセットする」という処理です。eの中にはエラーメッセージが入っているので、eをprintで表示すればエラーの内容がわかります。このメッセージをログに残すようにすればログを見返すことでエラーがわかりますし、アプリケーション内の処理であれば、このメッセージをポップアップで表示すればユーザーにエラーの内容を伝えることができます。これらの処理を、プログラムが停止することなく実行できるという点がポイントです。

 まとめ

　プログラムには例外（エラー）が発生してしまう場合があるので、例外処理を使って適切に処理を記述する必要があります。

書式　**例外処理の書式**

```
try :
tab 処理A （エラーが発生する処理）
except Exception as e:
tab 処理B
tab print(e) （例外の内容を知りたいとき）
```

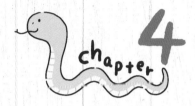

プログラミングの応用編
効率的に作ろう

Chapter3までの知識があれば、プログラムを100行、200行とどんどん書いていくことができます。しかし、そのように長くなったプログラムを、もっと効率的に書くことで短くできる方法があるならば、知っておきたいですよね。この章では、そのような効率的に書くための仕組みや標準ライブラリを使った、より実践的なプログラムの書き方を学んでいきます。

4-1

クラス

Pythonには、データと、データを処理するプログラムをひとまとまりにして扱う「クラス」という機能があります。そして、クラスの中にもいろいろな機能やルールがあります。一度にすべてを把握するのは難しいかもしれませんが、安心してください。ここまでの章で、皆さんはすでにクラスを利用しています。これはつまり「クラスという機能の存在を知らなくとも、クラスは使うことができる」ということです。

　ここでは、今まで知らずに使っていた「クラス」というものの存在を認識し、使うだけでなく、自分でもその「クラス」を新しく作ることができるようになることを目指します。

 ## クラスとは

　クラスの作り方の前に、まずはクラスとは何か？について説明します。Pythonのクラスは、言い換えると「データの設計図」と呼ぶことができます。この設計図には、データがどのような特徴を持つデータ（データ型）が存在するか、そしてどのような機能を持っているかについて書いてあります。

Fig　設計図と製品

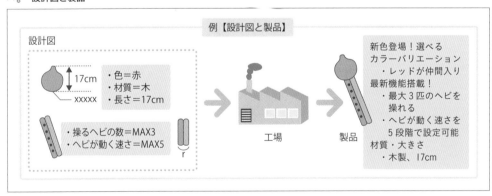

　第3章で関数の説明をしたときに、関数という機能が存在する理由を、「いくつかの処理をまとめておいて、使いたいときにかんたんに呼び出すことができて便利」と説明しました。クラスのメリットもそれと同様と説明することもできますが、クラスは関数よりも大きい概念です。クラスの中には、関数をいくつも持つことができるのです。

「関数の集合体をクラスと呼ぶのかな？」と思った方もいるかもしれません。それは間違いではないのですが、クラスは関数だけではなく、変数も一緒に持つことができます。クラスを今までに説明したプログラムの用語で表すと、「変数」と「関数」の集合体であるといえます。

Fig　クラスの中に関数がいくつも入っている

Fig　クラスには変数と関数が入る

 ## クラスを使うと何がうれしいのか

　クラスは変数と関数の集合体であるという話をしました。このクラスが、プログラムを書く私たちにとってどのように役に立つか、何がうれしいのかを、かんたんに2つ紹介します。

　1つ目は、プログラムの規模が大きくなってきたときに、意味のある集合体にしておくことで、プログラム全体を整理できるという点です。複数人で作っている大きめのプログラムを想像してみてください。そこに新しくあなたが参加して、新しい機能を作ろうとするとき、まずは既存のプロ

グラムを読むことになります。皆さんは他人が書いたプログラムを読んだ経験があるでしょうか？ある方はご存じかと思いますが、日本語の文章と同様、プログラムには読みやすいものとそうでないものがあります。読みやすく整理されたプログラムであれば、新しい機能をどこに追加したらよいのか、機能を変えたいときにプログラムのどこを書き換えたらいいか、わかりやすいのです。

　プログラムを読んだことがない方は、スマートフォンアプリの管理を想像してみてください。たくさんのアプリをインストールしていると普段よく使うアプリは別として、たまにしか使わないアプリは、探すのに時間がかかってしまいますね。

Fig　スマートフォンのフォルダ機能

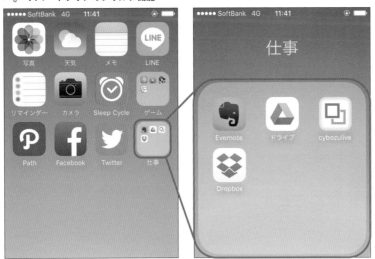

　たとえばInstagramなどの「写真アプリ」、TwitterやFacebookなどの「SNS」というように、フォルダごとに名前を付けてひとまとめにしておくと、後から探しやすくなります。いったんこのまとまりを作ってしまえば、後から新しいアプリをダウンロードして追加するときも、SNSなら「SNS」、写真加工用のアプリであれば「写真アプリ」のフォルダに追加すればいいですね。これは、全体のプログラムをスマートフォン、クラスをアプリのフォルダ、関数をアプリとして例えてみた例です。

　2つ目は、先ほどクラスを設計図と呼んだことに関連しています。設計図があると量産ができるようになりますね。たとえば皆さんがシューティングゲームを作るプログラマーだとします。シューティングゲームがわからない方は検索してみてください。かんたんにいうと「大量の敵の戦闘機の攻撃を、こちらも戦闘機に乗ってくぐりぬけ、どこかにいる敵の親玉を撃破する」ような歴史あるゲームの1ジャンルです。シューティングゲームを作るとき、まず量産しなければいけないものは敵の機体です。これらの敵の機体には、耐久力や攻撃力や移動速度などのパラメータと、弾を撃ったりする機能が備わっています。耐久力などのパラメータは変数、弾を撃つ機能は関数とし

て、1つの「敵機体クラス」にまとめることができます。これらの変数と関数を1つにまとめた敵機体クラス（設計図）を元に、新しい敵の機体をどんどん作ることができるのです。

Fig　シューティングゲームの敵の機体パラメータと機能がそれぞれ変数と関数

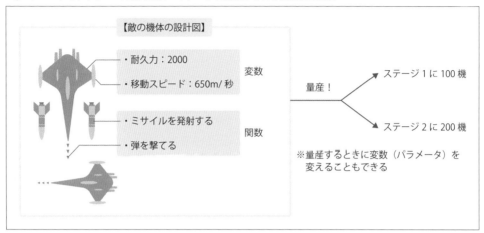

この2つ目の話は、クラスについてもう少し知ってからでないと理解しづらいと思うので、ここではなんとなく「そういうものか」という認識で大丈夫です。

 ## クラスを作るためには

ここまで、クラスはデータの設計図であることを紹介しました。クラスを作れるようになるために、その設計図を書く方法を学びましょう。その次に、設計図から製品を作って、製品を使うということを、書式を確認した後、実際のプログラムで見ていきます。

設計図は、製品（プログラム）をどのように作るかが書いてある図面です。製品として使うためには、設計図にしたがって、製品を作ります。プログラムの世界では、その設計図を実際の製品にしたものを、**インスタンス**と呼びます。またインスタンスにすることを**インスタンス化**と呼びます。これらの言葉は覚えにくいので、一度には覚えきれないかもしれませんが、これらの単語に出会ったら、そのたびに意味を確認しながら徐々に覚えていくようにしてください。

Fig　設計図→製品はクラス→インスタンスのイメージ

クラスの概念は、変数と関数をひとまとめにしたプログラムの設計図という説明をしました。まずはクラスの書式を確認します。次のように定義します。

```
class クラス名:
tab 変数の定義
tab 関数の定義
```

はじめにclassというキーワードを書いて、その後に作りたいクラスの名前を書きます。その下に変数の定義、そして関数の定義を書いていきます。なお、変数および関数の定義は必須ではないので、変数だけ、関数だけのクラスも作ることができます。また、クラスの中の変数はメンバ変数、関数はメソッドと呼ばれることもあります。今の段階で正確に使い分ける必要はありませんが、頭の片隅に置いておきましょう。

 ## 実際に作って、呼び出してみる

ここでは、実際にプログラムでクラスを作成し、それを呼び出す方法を解説します。なぜクラスが必要なのか、どのように役立つのかはひとまず置いておいて、クラスの作り方と使い方を確認していきましょう。

Interactive Shell

```
>>> class fruit: ↵
... tab color = 'red' ↵
... tab def taste(self): ↵
... tab tab return 'delicious' ↵
... ↵
>>>
```

fruit

　まずfruitという名前のクラスを作成しました。変数colorにredをセット（代入）して、tasteという関数を定義しています。ここで1つポイントがあります。関数の定義にはselfという引数を渡していますが、関数の処理の中ではselfを使っていません。一見すると間違いにも見えますが、クラスの中で関数を定義するときには、このselfが必要になります。詳しくはこの後でまた説明するので、ひとまず必要だということを覚えておいてください。

　それでは、さっそくこの生成したfruitクラスを呼び出してみましょう。続けて実行してみてください。

Interactive Shell

```
>>> class fruit: ↵
... tab color = 'red' ↵
... tab def taste(self): ↵
... tab tab return 'delicious' ↵
... ↵
>>> apple = fruit() ↵  ●─────────────── fruitクラスを使うためにインスタンス化する
>>> apple.color ↵
'red'
>>> apple.taste() ↵
'delicious'
```

　1〜4行でクラスfruitを定義した後、6行目でこのクラスを使えるように準備をしています。ここで、冒頭で説明した「クラスはデータの設計図」という例えを思い出してください。データの設計図を元にして、いわば「製品を作る」作業を行います。製品を作るといっても方法はかんたんで、変数に＝（イコール）でクラス名をセットするだけ。これで製品の組み立て完了です。変数（こ

こではapple）が、製品となり、設計図に書いた通りの仕様で操作ができます。appleに．（ドット）でcolorをつなげば、fruitクラスの変数を表示することができ、関数taste()をappleから呼び出すことができます。

　クラスは設計図なので、使うためには今回のように「組み立て」をする必要があります。繰り返しになりますが、この「組み立て」のことを、プログラミング用語では**インスタンス化**と呼び、「組み立てられた製品」を**インスタンス**と呼びます。これも頭の片隅に置いておいてください。

 ## オブジェクト

　オブジェクトというのは、一言でいうと「データとメソッドがセットになったもの」です。Pythonにおいては、オブジェクトはデータ型と言い換えることができます。この「データとメソッドがセットになっている」ということを、データ型の1つである「文字列型」を例に説明していきます。

```
color = "green"
```

　「green」という文字列を変数colorにセットしました。**2-5**で学んだ通り、colorのデータ型は文字列型です。そして、先ほどの例でいうと、文字列型の変数colorは、文字列型のデータと文字列型のメソッドを備えた「文字列型オブジェクト」と呼ぶことができます。どういうことかというと、colorは、greenという文字列のデータを持っていて、同時に文字列型特有のメソッドも持っているということです。試しに、文字列型のメソッドの1つ、countメソッドを使ってみましょう。

```
>>> color = 'green' ↵
>>> color.count('e') ↵
2
```

　1行目でcolor変数にgreenという文字列をセットして、文字列型のオブジェクトcolorを生成しました。2行目で、文字列型のメソッドcountを使います。countは、引数に渡した文字が、文字列型の中にいくつあるか数えるメソッドです。ここではgreenという文字列の中にeが2つあることがわかりました。他にもupperというメソッドを使えば、文字列を大文字にして返してくれます。

```
>>> color = 'green' ↵
>>> color.upper() ↵
'GREEN'
```

文字列型のメソッドの例としてcountメソッドとupperメソッドを示しましたが、文字列型の
メソッドは他にいくつも用意されています。文字列をセットした変数は、そのセットした文字列を
(ここでは'green')「データ」として持ち、さらに文字列型の「メソッド」も持つオブジェクトにな
る、ということがイメージできたでしょうか。

♦ オブジェクトについてのまとめ

いくつもの新しい用語・概念が出てきたので、ここで一度整理しましょう。

▶ オブジェクトとは、データと機能(メソッド)を持つもの
▶ データ型もデータとメソッドを持っているのでオブジェクトと呼べる
▶ クラスもデータ (変数) とメソッド (関数) を持っているので、オブジェクトと呼べる

メソッドの引数 self

クラスの中にメソッド(関数)を定義する際には、今までに学んだ関数を定義するときとは違い、
ある"決まり"があります。それはメソッド (関数) の第1引数にselfというキーワードを書く必要があ
るということです。なお、第1引数とはメソッド (関数) の ( ) の中の最も左の引数、つまり1つ目の
引数のことです。

これは決まりなので必ず守らないといけないのですが、もし書かなかった場合どうなるか?そし
て、同じ関数なのに、なぜクラスになった途端にselfが必要になるのか?について今から順に確
認していきます。

アルバイトを雇ったら

飲食店のアルバイトを管理するシステムを例に考えてみましょう。まず、アルバイトを管理する
staffクラスを作ります。今回はかんたんに、salary関数をスタッフの給料10000yenを表示
するよう定義します。

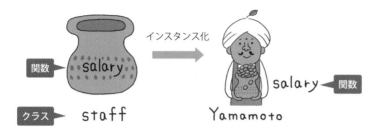

関数 → salary

クラス → staff

インスタンス化

salary ← 関数

Yamamoto

```
>>> class staff: ↵
... [tab] def salary(): ↵
... [tab] [tab] return "10000yen" ↵
... ↵
>>> yamamoto = staff() ↵
>>> yamamoto.salary() ↵
Traceback (most recent call last):
  File "<stdin>", line 1, in <module>
  TypeError: salary() takes 0 positional arguments but 1 was given
```

　5行目で、staffクラスをインスタンス化してyamamotoにセットしています。次に、6行目で yamamotoからsalary関数を呼び出そうとするとエラーが発生しました。エラーメッセージを かんたんに訳すと「salary関数は引数を定義していないのに、引数が1つ渡されてきましたよ」と 言っています。確かに引数は定義していないのですが、引数を渡してもいませんので不思議です ね。私たちの見えないところで、何かが引数として渡されているようです。

　次に、決まりにしたがってselfを定義する例を示します。

```
>>> class staff: ↵
... [tab] def salary(self): ↵
... [tab] [tab] return "10000yen" ↵
... ↵
>>> yamamoto = staff() ↵
>>> yamamoto.salary() ↵
'10000yen'
```

staffクラスで、salary関数を定義するときにselfを引数にしました。先ほどと同様に5行目でstaff()クラスをyamamotoにセットして、yamamotoというインスタンスにしました。6行目で関数salaryを呼び出したところ、エラーが表示されることなく、期待通りの返り値'10000yen'が返ってきました。

最初の例がエラーになってしまった理由は、「関数を呼び出すときに、必ず1つ引数が自動的に渡されるため、何も引数を設定していなければエラーになる」ためでした。

次に、この強制的なルールが何のためにあって、どのように使うのかを確認していきます。先ほどのstaffクラスを改造して、変数bonusをstaffクラスに追加で定義しました。

Interactive Shell

```
>>> class staff: ↵
... tab bonus = 30000 ↵
... tab def salary(self): ↵
... tab tab salary = 10000 + bonus ↵
... tab tab return salary ↵
... ↵
>>> yamamoto = staff() ↵
>>> yamamoto.salary() ↵
Traceback (most recent call last):
  File "<stdin>", line 1, in <module>
  File "<stdin>", line 4, in salary
NameError: name 'bonus' is not defined
```

先ほどと同じようにsalary関数を呼び出そうとすると、エラーが発生しました。エラーメッセージを確認すると、「bonusは定義されていません」という内容です。しかし、staffクラスには2行目にbonus = 30000と確かに変数を定義していますね。

なぜエラーが起きたのでしょうか？実は、同じクラスの中に定義していても、関数の中から関数の外にある変数をそのまま呼び出すことはできません。このプログラムでいうと、staffクラスの中の関数salaryから、同じクラスの中の変数bonusをそのまま呼び出すことができないということです。エラー内容の「定義されていません」というのも「参照できる範囲に定義されていません」という意味で、実は正しいのです。

1つのまとまりとして扱いたいから同じのクラスの中に関数と変数を定義したのに、その関数から変数が呼び出せないのではあまり意味がないですよね。クラスの中に定義したどの関数からも、クラス内に定義した変数を使えるようにする方法が必要です。それを実現するのが、関数の第1引数に設定することが強制されているselfの役割なのです。これをふまえて修正したのが次のプログラムです。

Interactive Shell

```
>>> class staff:↵
...  [tab] bonus = 30000 ↵
...  [tab] def salary(self):↵
...  [tab][tab] salary = 10000 + self.bonus ↵
...  [tab][tab] return salary ↵
...  ↵
>>> yamamoto = staff()↵
>>> yamamoto.salary()↵
40000
```

4行目でselfと.（ドット）に続けてbonusと書いていますね。これで「staffクラスのbonus」を呼び出せます。

クラス名に.（ドット）とつなげて変数名を書くことで「○○クラスの□□変数」を呼び出せるのでしたね。ここからもわかる通り、このselfはstaffクラス「そのもの」を表しています。selfは英語で「自身」なので、その名の通りですね。すぐにはイメージできないかもしれませんが、例えていうなら筆者の鎌田正浩が「私」と名乗るように、staffクラスが「self」と名乗っているのです。よって、self.bonusと書くことで「staffクラスの変数bonus」を指定し、利用することができるのです。関数の第1引数に自動的に渡されるデータは、そのクラス自身を表すデータなのでした。クラスで関数を定義するときにselfを引数として定義するというルールはこのような機能を使うために決められているのです。

selfじゃなくてもOK？

この第1引数にselfを定義するというルールですが、実はselfでなくても問題なく動きます。たとえばthisClassなどでも動きますし、solfのようにスペルミスがあっても動きます。なぜかというと、selfはあくまで変数名だからです。クラスを定義するとき、第1引数に定義した変数にそのクラス自身がセット（代入）される、ということです。ただ、その場限りの名前にしてしまうと、自分以外の人がプログラムを読んだり、自分が後からプログラムを直すようなときに混乱する原因になります。特に理由がなければ、慣習にならって変数名はselfに統一しておくのがよいでしょう。

__init__メソッド

__init__メソッドは、クラスがインスタンス化されるときに、必ず実行されるメソッドです。この章の冒頭で、「クラスという設計図を作成して、その設計図をもとに製品（インスタンス）を作る」という説明をしました。その製品（インスタンス）を作るとき、必ず使う数値などを「初期設定」

のように最初に定義しておいたり、インスタンス化するときに引数を渡して定義することを必須にできます。何を初期設定できるようにするかは、データによりますが、インスタンスごとに異なるデータ、例えばこのあと紹介するアルバイトのbonusの金額などです。それらの初期設定を、インスタンスを作るタイミングで設定するために使うのが、__init__メソッドです。次のような書式で、__init__という名前でメソッドを定義します。

書式

```
class クラス名:
[tab] def __init__(self, 引数, ...):
[tab] [tab] self.初期設定したい変数 = 引数
[tab] [tab] 最初に行いたい処理
[tab] def メソッド名:
[tab] [tab] メソッドの処理
```

selfの説明をするときに使った、staffクラスを引き続き使って解説していきます。まず__init__メソッドでできることについて見ていきましょう。先ほどのstaffクラスでは、bonus = 30000のように、bonusの金額を計算したりせず30000という数字をそのまま書いていました。このままではyamamotoさんのbonusは何があっても3万円ですし、他のスタッフも一律で3万円です。もう少し応用が効くクラスを作るために、__init__メソッドを使った「インスタンス化するときに必ず引数を指定させる方法」を見てみましょう。

Interactive Shell

```
>>> class staff: ↵
... [tab] def __init__(self, bonus): ↵
... [tab] [tab] self.bonus = bonus ↵
... [tab] def salary(self): ↵
... [tab] [tab] salary = 10000 + self.bonus ↵
... [tab] [tab] return salary ↵
... ↵
>>> yamamoto = staff(50000) ↵
>>> yamamoto.salary() ↵
60000
```

2行目で、__init__メソッドの第1引数をself、第2引数をbonusとして定義しています。この第2引数bonusが、今回インスタンス化するときに渡したい引数です。次に3行目で、self.bonusにbonusをセットする式を書きます。4行目からのsalaryメソッドは特に変更していません。

このクラスを使うと何ができるのでしょうか？8行目を見ると、staffクラスに50000を引数として渡しながらインスタンス化しています。そして、9行目ではyamamoto.salary()で

salaryメソッドを呼んでいます。staffクラスをインスタンス化するときに50000をself.bonusにセットすることができたので、salaryメソッドがその50000を使って10000と足し算した結果、60000を表示させることができました。

　さらに実用的なクラスを考えてみましょう。「社員番号を初期値としてインスタンス化すると、そのインスタンスから、月の勤務時間を取得できるメソッドや、その人が会社に入社した日付を取得するメソッド、その人の研修の成果の情報などが取得できるメソッドなど、社員番号と結びついた情報を取得できるようなメソッドを持つクラス」として、次のようなstaffInfoクラスを例に見ていきます。細かい処理は省略していますが、「そのような処理がある」と仮定して、クラスとしての機能を想像してみましょう。

```
>>> class staffinfo:
... tab def __init__(self, staff_id):
... tab tab self.staff_id = staff_id
... tab def getWorkingHours(self):
        社員の勤務時間を管理するデータベースからself.staff_idの情報を取得する処理
        …省略
... tab def getHireDate (self):
        社員の雇用契約情報を管理するデータベースからself.staff_idの情報を取得する処理
        …省略
... tab def getTrainingRank (self):
        社員の研修情報を管理するデータベースからself.staff_idの情報を取得する処理
        …省略
...
>>> yamamoto = staffInfo('A00122')  ●────── 社員番号を初期値としてインスタンス化
>>> yamamoto.getWorkingHours()  ●────── 今月の労働時間を取得
'50hours'
>>> yamamoto.getHireDate()  ●────── 入社日を取得
'2015-11-29'
>>> yamamoto.getTrainingRank()  ●────── 研修のランク
'Beginer'
```

　1つ前の例と同様に、クラスの中で初期値として渡される社員番号（staff-id）を保存しています。前の例と違うのは、その社員番号を使ってさまざまなデータを取得できるという点です。たとえば「A00122」はyamamotoさんの社員番号ですが、別の例としてshimizuさんの社員番号「B00133」を初期値として渡しても、同じ機能が使えます。

```
>>> shimizu = staffInfo('B00133')  ●────── 社員番号を初期値としてインスタンス化
>>> shimizu.getWorkingHours()
'43hours'
```

　このように、インスタンス化するときに初期値として渡せるデータがあるとクラスをより便利に使うことができます。これが__init__メソッドの役割です。なお、initとは初期化を意味するinitializeの頭文字4つ分です。

4-2

継承

ここでは、継承という機能がどのようなものなのか、なぜ存在するのか、どのように使うのかといったことを紹介していきます。少し難しい概念なので、一度で完全に理解できなくても不安に思うことはありません。繰り返し本章を読み込むのもよいですし、プログラミングを学んでいくうちに再び継承という機能と出会い、そのときに初めて理解する可能性もあります。

これから継承の概念、継承の方法、継承という機能のメリットなどを紹介していきます。

 ## 継承とは

継承とは、その名の通り、とあるクラスAからとあるクラスBへ「あるもの」を受け継がせることができる機能です。何を受け継がせるかというと、クラスで定義したデータやメソッドです。継承元になるクラスを親クラス、継承先になるクラスを子クラスと呼び、「この2つのクラスには親子関係がある」といったりします。

Fig　データを親から子へ継承させる図

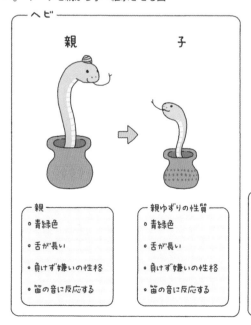

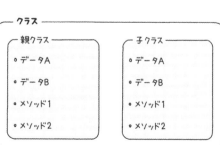

粘土で動物を作るなら

　継承を理解するためには、継承にはどのような良い所があって、なぜ継承のような機能が存在するのかを理解する必要があります。そこで、まずは例えを使って、継承がどのようなものかを確認していきます。

　唐突ですが、あなたは今、美術の授業を受けています。この授業では、それぞれ好きな動物を粘土で作ることになっています。もしかすると、今までにそのような授業を受けたことがある人もいるかもしれません。ここで普通とひと味違うのは、生徒がそれぞれ100体の動物を作る課題を出されていることです。目の前には、生徒が100体ずつ動物を作れるように、巨大な粘土のかたまりが置いてあります。とても大変そうですが、千里の道も一歩から、一体ずつ作っていきましょう。手始めに犬を作る手順を考えてみます。

1 粘土を適当に切り出して、なんとなく胴体っぽいかたまりを作ります
2 適当なサイズの粘土で胴体に足を付けます
3 頭としっぽも必要なので、よいサイズにこねて本体にくっつけます
4 胴体、足、頭の形を整えていき、犬を作ります

　このような感じでしょうか。残り99体ですから、さくさく作っていきましょう。次は猫にしますので、どのような手順になるか考えてみてください。

　どうでしょうか。頭に浮かびましたか？それでは、次は馬にしましょうか。これも手順を想像してみてください。

　ここで、このまま100体を目指してもくもくと作り続ける前に、少し考えたいことがあります。どの動物も多少の大きさや長さ、形の違いはあるものの、頭と両足、しっぽなど共通のパーツがついているので、犬を作るときに考えた制作の手順の3番目までの作業（胴体に頭、手足、しっぽをつける作業）はほぼ同じではないでしょうか。もし、授業で用意されているのが巨大な粘土のかたまりではなく、すでによい大きさに切り出され、両足と頭としっぽがなんとなくくっついている粘土だったらどうでしょうか。だいぶ楽に感じませんか？おそらく、生徒たち全員の作業がとても効率的になるのではないでしょうか。

Fig　クラスを継承して、クラスを作っていく

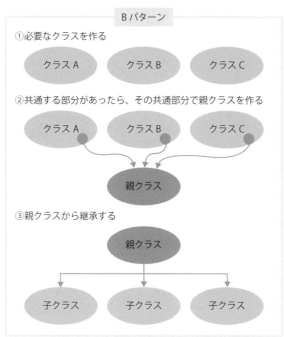

今回の話をクラスの話に置き換えると、たくさんの動物の動きを表すクラスを作る必要があるとき、動物ごとに毎回同じような内容をクラスに書くのは大変なので、共通する部分のクラス（体と両足としっぽや、歩くという機能）を1つ最初に作って、それを他のクラスで流用できれば、クラスごとに違う部分だけを作ればいいので、楽そうだよねという話でした。この「流用」できるというのが継承の基本的な機能です。

　一定以上の規模のプログラムを書くときには、はじめに全体の設計を行い、どのようなクラスを親クラスにすればよいかなどを最初に考えます（前ページFig Aパターン）。しかし、はじめのうちは、何を親クラスにして、何を子クラスにするとよいのかということを考えるのが難しいかもしれません。そこで、おすすめしたいのが、はじめのうちは、クラスの親子関係の設計などは考えずに、必要なクラスを必要なものから順に作っていく方法です。そして、作っていくうちに「この3つのクラスは共通化できる部分があるな」とか、「新しいクラスを作るときに、こんな親クラスがあれば楽になりそうだな」と気づいたときに、共通の親クラスを作り、それを継承して子クラスを作るという流れを繰り返すうちに次第に慣れていくのがよいでしょう（前ページFig Bパターン）。

継承の書式

　継承関係を書くためには、子になるクラスの定義の仕方が従来の書き方とは異なります。逆に言うと、親クラスは4-1で学んだクラスの書き方から変更する必要はありません。新しい書き方が必要なのは、子クラスだけです。子クラスの書式を確認します。

書式

```
class クラス名（親クラス名）：
[tab] 変数
[tab] def メソッド名：
[tab] [tab] メソッドの処理
```

　classの後ろにクラス名を書き、（）カッコでくくった中に、継承したい親クラスの名前を書きます。後は通常のクラスの定義の仕方と同様です。

継承を使ったプログラムを書いてみる（基本編）

　それでは実際に、継承を行うプログラムを動物のクラスを例にして作っていきます。まずは親になる動物の親クラスを書き、その次に親クラスを継承した動物の子クラスを継承の機能を説明しながら書いていきます。

　最初は犬を作ります。

```
>>> class animalBaseClass:
... tab animallegs=4
... tab def walk(self):
... tab tab print('あるく')
... tab def cry(self):
... tab tab print('なく')
... tab def getLegsNum(self):  ●──────── 脚の本数を取得するメソッド
... tab tab print(self.animallegs)
...
>>> class dogClass(animalBaseClass):
... tab def __init__(self):
... tab tab print('いぬです')
...
>>> wanko = dogClass()
いぬです
>>> wanko.walk()
あるく
>>> wanko.cry()
なく
>>> wanko.getLegsNum()
4
```

解 説

　まずanimalBaseClassを定義しました。いろいろな動物に共通している変数と、メソッドを定義しました。脚の数は4本で、歩いたり、走ったり、鳴くことができます。10行目からこの章で説明してきた「継承」を使って、「dogClass」を書きました。14行目でdogClassをインスタンス化しています。dogClassには、インスタンス作成時に必ず実行されるメソッド__init__を定義し、その中にprintを書いておくことで、インスタンス化されたことが分かりやすいようにしておきます。そして一番大事なのがその次です。dogClassをインスタンス化して作ったwankoインスタンスからwalkメソッドや、cryメソッドを実行すると、dogClassには定義していないメソッドが使えることです。

　wankoインスタンスから、walkメソッドが呼ばれると、プログラムはまずwankoクラスの中にwalkメソッドが存在するかどうかを確認します。今回は存在しないので、今度は親クラスのanimalBaseClassの中を探しに行き、walkメソッドを探します。今回は親クラスのanimalBaseClassの中にwalkメソッドが存在したので、親クラスのwalkメソッドを実行し、「あるく」と表示されたのが今回のプログラムの動きです。

　今のところ、まだ犬のクラスしか書いていないので、継承によって楽になった感覚はありません

が、ほかの動物をどんどん作っていくとき、毎回walkメソッドなどを書かなくてもよいというメリットを感じるでしょう。今はインタラクティブシェルに入力しているので、閉じれば書いた内容は消えてしまいますが、実際の開発では、ファイルに書いておいて、その親クラスを書いたファイルを読み込むことで、親を継承したプログラムをいつでも書くことができます。

 ## 継承を使ったプログラムを書いてみる（オーバーライド編）

犬クラス以外の動物クラスを作って、継承についての理解を深めていきます。動物クラスなので、先ほどのanimalBaseClassを使います。次のプログラムの例では、先ほどと同じ親クラスを書きますので、先ほど入力したインタラクティブシェルがまだ開いている方は、親クラスは省略して子クラスのcatClassの定義から書いていきましょう。一度インタラクティブシェルを閉じてしまった方は、次のプログラムをもう一度、親クラスのanimalBaseClassから入力してください。

Interactive Shell

```
>>> class animalBaseClass: ↵
... tab animallegs=4 ↵
... tab def walk(self): ↵
... tab tab print('あるく') ↵
... tab def cry(self): ↵
... tab tab print('なく') ↵
... ↵
>>> class catClass(animalBaseClass): ↵
... tab def __init__(self): ↵
... tab tab print('ねこです') ↵
... tab def cry(self): ↵
... tab tab print('にゃー') ↵
... ↵
>>> chachamaru = catClass() ↵
ねこです
>>> chachamaru.walk() ↵
あるく
>>> chachamaru.cry() ↵
にゃー
```

 解 説

犬の次は猫クラスを作ってみました。犬クラスとの違いは、「ねこです」という自己紹介のセリ

フと、cry()というメソッドを定義してある点です。ここでポイントなのが、cryメソッドは親クラスであるanimalBaseClassにも定義してあるという点です。実行して結果を確認してみると、cryメソッドを呼び出して実行されたのは、「にゃー」と鳴く、子クラスの方のメソッドです。親クラスで定義してあるメソッドを同じ名前で子クラスで定義すると、子クラスから呼び出す限り、子クラスの方のメソッドが優先されます。この機能をオーバーライドと呼びます。オーバーライドは英語でoverrideです。これは「上書き」という意味で、「親クラスで定義したメソッドを、子クラスで同名のメソッドで上書きしている」という意味です。

　このオーバーライドという機能があることによって、継承という機能をより汎用的に使うことができます。今回のように「なく」という動物共通の動作を親クラスに定義しつつ、「鳴き声」はそれぞれの動物によって違うので、子クラスでオーバーライドするというような使い方をすることができます。

継承を使ったプログラムを書いてみる（親クラスの呼び方と初期設定編）

　継承を使ったプログラムの3つ目は、子クラスから親クラスのメソッドの呼び方と、初期設定の方法を紹介します。ここまでanimalBaseClassを使って、犬と猫を表現してきましたが、脚の本数が異なる動物、ここでは蛇のクラスを作りたくなったとします。今回使う親クラスは、今までの親クラスを少し改造するので、次のプログラムは親クラスから入力して動作を確認してみてください。

Interactive Shell

```
>>> class animalBaseClass(): ↵
... [tab] def __init__(self, num): ↵ ──────────── 初期化メソッドを追加
... [tab][tab] self.animallegs = num ↵
... [tab] def walk(self): ↵
... [tab][tab] print('あるく') ↵
... [tab] def cry(self):
... [tab][tab] print('なく')
... [tab] def getLegsNum(self):
... [tab][tab] print(self.animallegs)
...
>>> class snakeClass(animalBaseClass):
... [tab] def __init__(self, num):
... [tab][tab] super().__init__(num) ──────────── 今回のポイントsuperメソッド
... [tab][tab] print('へびです')
...
>>> nyoro = snakeClass(0)
へびです
>>> nyoro.getLegsNum()
0
```

解 説

　まず今回の親クラスが今までと違うのは、初期化メソッド__init__（➡p.146）があるという点です。初期化メソッドによって、クラスのインスタンス化をするときに、脚の本数を設定するようにしました。動物というと、脚の本数が4本の動物が多いイメージですが、鳥や蛇の脚は4本ではありませんよね。そこで、インスタンス化するときに、脚の本数を設定できるようにしたのが今回の例です。

　そして、今回の一番のポイントは、子クラスの方から、親クラスの初期化メソッドを呼んでいるところです。プログラムの行数は、13行目のsuper()から始まっている行です。super()は、子クラスから親クラスのメソッドを呼ぶことができるキーワードです。superを使うときの書式は次のようになります。

書 式

```
super().メソッド
```

　snakeClassの中から、super()メソッドを利用して、animalBaseClassを呼び出し、__init__メソッドを実行しています。
　具体的には13行目で渡された変数numは、3行目に書いているようにanimalBaseClassのinitメソッドの中で、変数animallegs にセットされます。
　プログラムの最後で、getLegsNumメソッドを呼ぶと、インスタンス化するときに、脚の数を指定した数に設定できていることが確認できます。このように、親クラス（ここではanimalBaseClass）を定義しておくことで、子クラスを作るときに、変数をセットするプログラムをつくることができました。

　ところで、最後のsnakeClassでは「super」というキーワードを使って、インスタンス化するときに親クラスに脚の数を設定できるようにしましたが、脚の数が必ず0であるなら、次のように書くことができます。

🐵 **Interactive Shell**

```
>>> class snakeClass(animalBaseClass): ↵
... tab def __init__(self): ↵ ●——————————————— 子クラスの初期化メソッド
... tab tab snake_legs = 0 ↵
... tab tab super().__init__(snake_legs) ↵ ●———————— 親クラスの初期化メソッドを呼ぶ
... tab tab print('へびです') ↵
... ↵
>>> nyoro = snakeClass() ↵
へびです
>>> nyoro.getLegsNum() ↵
0
```

1つ前のsnakeClassとの違いは、初期化メソッドに入力した引数を定義せずに、0を親クラスの初期化メソッドに渡していることです。これによって、インスタンス化するタイミング（7行目）で、脚の数を渡していませんが、nyoroインスタンスから、getLegsNum()を呼んだ結果は、0になっています。

蛇には基本的に脚がないので、インスタンス化するときに引数を渡して脚の数を設定する必要はあまりありませんが、原始の時代には脚のあった種類もいたそうです。もし蛇クラスを作るときがあれば好きなほうを使ってくださいね。

4-3

標準ライブラリ

ライブラリには、「標準ライブラリ」と「外部ライブラリ」があります。標準ライブラリとは、Pythonをインストールしたときに一緒にインストールされるライブラリです。

標準ライブラリの「標準」というのは、たとえば車のスペックで「○○機能を標準装備！」として使われる「標準」と同じ意味で、もともと備わっているという意味です。一方、利用するためにPythonとは別にインストールが必要なライブラリを、外部ライブラリと呼びます。外部ライブラリについては第6章で説明します。

ライブラリとは

標準ライブラリの説明に入る前に、まずライブラリとは何かを説明します。ライブラリ（library）は日本語で「図書館」という意味ですが、プログラミングにおけるライブラリは「道具箱」とするほうがしっくりきます。道具箱にはいろいろな道具が入っていて、用途に応じて使い分けて、何かを作ったり修理したりしますね。ライブラリも同様で、作りたいものに合わせて使い分けることで、より早く少ない手間でプログラムを書くことができます。ライブラリを道具箱と言い換えましたが、道具箱に入っているそれぞれの道具のことをPythonでは**モジュール**と呼びます。そして、その道具であるモジュールに、何通りかの使い方（クラスや関数）がそれぞれ存在しています。

複数のモジュールがひとまとまりになっているものを**パッケージ**と呼びます。ちょうど、ドライバーセットがパッケージのイメージです。ドライバーセットの中には、プラスドライバーやマイナスドライバーという、それぞれの役割を持った道具（モジュール）がありますね。

標準ライブラリの使い方

ここではそれぞれ標準ライブラリを使うための基礎について解説していきます。

♦ import

道具を使うためには、道具箱から道具を探して、手に持つ必要がありますね。それと同様に、Pythonでは、標準ライブラリの中から使いたいモジュールを探してきて、プログラムに読み込んで使用します。

ここでは、標準ライブラリからcalendarという第1章でも使ったモジュールを例に、実際にプログラムで使う方法を改めて説明します。モジュールを読み込むにはimportというキーワードを使います。読み込んだcalendarの後に.（ドット）を付けて、monthという関数を呼び出します。その結果をprint関数で表示しているのが、次のプログラムです。

Interactive Shell

```
>>> import calendar ↵
>>> print( calendar.month(2022, 7) ) ↵ ●─────── 2022年7月のカレンダーを表示
      July 2022
Mo Tu We Th Fr Sa Su
             1  2  3
 4  5  6  7  8  9 10
11 12 13 14 15 16 17
18 19 20 21 22 23 24
25 26 27 28 29 30 31
```

◆ as

モジュールのクラスや関数を使うときには、モジュール名を毎回書く必要があります。たとえばcalendarモジュールは8文字と長いうえ、スペルミスしそうな単語ですね。これを毎回書くのはめんどうなので、asというキーワードを使い、別のかんたんな名前を付けましょう。次の例でcalendarにcalという別名を付けてみます。

Interactive Shell

```
>>> import calendar as cal ↵
>>> print(cal.month(2022, 8)) ↵
     August 2022
Mo Tu We Th Fr Sa Su
 1  2  3  4  5  6  7
 8  9 10 11 12 13 14
15 16 17 18 19 20 21
22 23 24 25 26 27 28
29 30 31
```

calendarをcalとして呼び出せるようになったことが確認できました。

◆ from

fromというキーワードを使って、パッケージから特定のモジュールだけ使えるようにしたり、モジュールから特定のクラスや関数を取り込むことができます。

書式

from パッケージ(モジュール名) import モジュール名(クラス名、関数など)

実際のプログラムで書いてみましょう。次の例は、calendarモジュールから、month関数と、うるう年かどうかを判定するisleap関数を読み込んで利用しています。isleap関数は、引数に渡した西暦がうるう年ならTrueを、うるう年でない場合はFalseを返します。

Interactive Shell

```
>>> from calendar import month, isleap  ↵
>>> print(month(2022, 9))  ↵
    September 2022
Mo Tu We Th Fr Sa Su
          1  2  3  4
 5  6  7  8  9 10 11
12 13 14 15 16 17 18
19 20 21 22 23 24 25
26 27 28 29 30
>>> isleap(2024)  ↵ ●———————————————— 2024年がうるう年かどうか調べる
True ●——————————————————————————————— うるう年
```

fromを使うと、メソッドがどこから呼ばれているのかがはっきりするため、実行時にパッケージ名やモジュール名を書かなくてよくなる、というメリットもあります。

▶ fromなし

```
>>> import calendar  ↵
>>> calendar.isleap(2022)  ↵ ●———————————— calendar.に続けて書く必要がある
False
```

▶ fromあり

```
>>> from calendar import isleap  ↵
>>> isleap(2022)  ↵ ●————————————————————— calendar.がなくてもOK
False
```

 ## その他の標準ライブラリ

Pythonの標準ライブラリには、幅広いジャンルにわたって、非常に多くの種類のモジュールとパッケージがあります。その中から、いくつか選んで使い方を紹介していきます。すべての標準ライブラリを知りたいという方は、オンラインのドキュメントを確認してみてください。

▶ **オンラインの標準ライブラリのドキュメント**

Python3 URL https://docs.python.org/ja/3/library/index.html

もしかすると、その数の多さに圧倒されてしまうかもしれませんが、安心してください。これらは暗記しておく必要はありませんし、すべてを把握していなくともあまり困りません。もっといえば、プログラマーとして働いている人でも、すべて仕事で使ったことがある人もほとんどいないと思います。プログラミングをしていくなかで、こういうライブラリがあったらいいなと思ったときに、このページにアクセスして、欲しい物がないかを探してみるという使い方で良いと思います。

時刻や日付に関する標準ライブラリ

　さまざまなプログラムを書くようになると、意外によく使うのがこの「時刻」や「日付」に関する機能です。

◆ datetimeモジュール

　datetimeモジュールには多くの機能が用意されているので、逆引き的に「何ができるか」とその方法を、ピックアップして紹介していきます。

> ▶ オンラインのdatetimeモジュールのドキュメント
>
> Python3　URL　https://docs.python.org/ja/3/library/datetime.html

◆ 今日の日付を取得する

　datetimeモジュールのdateオブジェクトを利用します。

Interactive Shell

```
>>> from datetime import date ↵
>>> date.today() ↵
datetime.date(2021, 12, 5) ●───────────── 実行した日の日付が表示される
```

　表示されるのはプログラムを実行した日付なので、皆さんの手元で実行した場合は、皆さんが実行した日付が表示されていると思います。実行例の2021年12月5日は筆者がこれを書いている日付です。なお、ここで表示されているdatetime.date(2021, 12, 5)はdate型のオブジェクトです。date型のままでは少し見づらいので、日付を文字列型に変換する方法を紹介します。

◆ date型のデータを文字列型に変換する

　date型オブジェクトを文字列型に変換するには、date型のstrftimeメソッドを使いましょう。1つ前で紹介した今日の日付を取得したときのdate型のオブジェクトを利用して確認していきます。

```
>>> from datetime import date ↵
>>> today = date.today() ↵
>>> today.strftime('%Y%m%d') ↵
'20211205'
>>> today.strftime('%y/%m/%d') ↵
'21/12/05'
>>> today.strftime('%Y年%m月%d日') ↵
'2021年12月05日'
>>> today.strftime('%Y %B %d %a') ↵
'2021 December 05 Sun'
```

2行目で、今日の日付の結果をtodayという変数にセットしました。そしてdate型のオブジェクトとなったtodayにstrftime()を使っています。ここで説明したいのが、このstrftimeメソッドの引数として指定しているフォーマット(表示形式)についてです。ここに決められた記号を入力することで、表示される文字列を必要な形に変更することができます。

よく使う記号について、次の表にまとめます。プログラムの例と合わせて、日付を扱う際の参考にしてください。

Table　日付の形式

記号	表示される形式
%Y	年を西暦の4桁で表示
%y	年を西暦の2桁で表示
%m	月を2桁で表示
%B	英語で月名を表示
%b	英語で月名を短縮して表示
%A	英語で曜日名を表示
%a	英語で曜日名を短縮して表示

♦ 現在の日付と時刻を取得する

datetimeモジュールのdatetimeオブジェクトを利用すると、日付と時刻の両方を取得することができます(先ほどのdateオブジェクトでは、日付のみでした)。モジュールとオブジェクトともにdatetimeという同じ名前なので、ややこしいですが、区別して使っていきましょう。

```
>>> from datetime import datetime ↵
>>> datetime.now() ↵
datetime.datetime(2021, 12, 5, 21, 48, 36, 913111)
```

　表示されたデータは、左から（年、月、日、時、分、秒、マイクロ秒）と並んでいます。何度も datetime.now()を実行すると、表示される時刻がどんどん変わっていくのがわかると思います。そして、datetime型のデータも先ほど紹介した文字列型に変換するメソッドを使うことができます。

```
>>> from datetime import datetime as dt ↵
>>> now = dt.now() ↵
>>> now.strftime('%Y-%m-%d %H:%M:%S') ↵
'2021-12-05 23:12:17'
```

　先ほどと少し変更して、1行目でdatetimeモジュールから、datetimeオブジェクトをdtという名前にして読み込みました。そして、nowメソッドを使って、datetime型のオブジェクトを変数nowにセットし、先ほどと同様にstrftimeメソッドを使い、文字列型のデータに変換しました。日付の表示形式は、先ほどと同様なので、時刻の表示形式を次の表にまとめます。

Table　時間の形式

記号	表示される形式
%H	時を24時間表記で表示します
%I	時を12時間表記で表示します
%p	時刻がAMとPMのどちらであるかを表示します
%M	分を2桁の数字で表示します
%S	秒を2桁の数字で表示します
%f	マイクロ秒を6桁の数字で表示します

◆ 一週間後の日付を取得する

　一週間後の日付を知りたいとき、普段なら頭のなかで今日の日付に7を足して計算しますよね。プログラムでもtimedeltaオブジェクトを使うことで、同じように計算することができます。

```
>>> from datetime import date, timedelta  ↵
>>> today = date.today()  ↵
>>> today  ↵
datetime.date(2021, 12, 6)
>>> one_week = timedelta(days = 7)  ↵
>>> today + one_week  ↵
datetime.date(2021, 12, 13)
>>> today - one_week  ↵
datetime.date(2021, 11, 29)
```

　　timedelta()にdays=7というデータを渡すと、7日間分のデータを返してくれます。それを
one_week変数にセットして、todayにセットしてあるdate型のオブジェクトに、普通の四則演
算のように+（プラス）で足し合わせると、一週間後の日付のdate型のオブジェクトが表示されま
した。もちろん足し算だけではなく、引き算にすることで、一週間前の日付も取得できました。

　　timedeltaオブジェクトに渡すdaysの数字を変更すれば、好きな日付分のデータを使うこと
ができますので、たとえば、100日後は何月何日になるかということも、timedeltaオブジェク
トを使えば表示できるようになります。

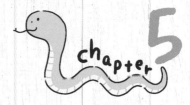

プログラムから
ファイルを読み書き

この章では、データをファイルに書き込んだり、ファイルから読み込んだりをする方法を学びます。その前段階として、パソコンをキーボードからの入力だけで操作する方法を紹介します。初めての方には、今まで知らなかったパソコンの使い方の発見があるでしょう。

5-1

ファイルの場所

Pythonでファイルを扱う前に、まずファイルの場所をテキストで表す方法を説明していきます。

プログラムからファイルを扱うためには、まず「ファイルの場所」という概念を理解する必要があります。なぜなら、ファイルを読み込むためには、読み込みたいファイルがどこにあるかという「場所」をプログラムに伝える必要があるからです。ファイルを作るときにも同様に、ファイルを作成したい「場所」をプログラムに伝える必要があります。場所を指で指してみても伝わらないので、これから「ファイルの場所の伝え方」を学んでいきましょう。

 ## どこに保存する？

まずは、パソコン上でのファイルの場所についての考え方です。皆さんはパソコンにファイルを保存するとき、どこに保存していますか？　たとえばインターネットから画像をダウンロードしたとき、ダウンロード用のフォルダに保存するようにしている人もいますし、ピクチャフォルダに保存していく人もいると思います。はたまた、「フォルダじゃなくて、デスクトップの上に保存しているよ！」という人もいるでしょう。しかし、実はこのデスクトップも1つのフォルダだったりします。パソコンの中にはこのようなフォルダが階層になってたくさん存在しています。

 ## デスクトップをテキストで表現する

デスクトップの場所は、Windowsであれば次のように書きます。

書式

```
C:¥Users¥(ユーザー名)¥Desktop
```

Cというのはハードディスクドライブの名前です。そのCドライブの下にUsersというフォルダがあり、その下に皆さんそれぞれのユーザー名があり、その下にDesktop（デスクトップ）があ

るということを表しています。

一方、Macのデスクトップの場所は、次のように書きます。

書式

```
/Users/(ユーザー名)/Desktop
```

　これは、Usersというフォルダの下に、皆さんそれぞれのユーザー名があり、その下に
Desktopというフォルダがある、ということです。初めはなかなか感覚でわかりづらいのです
が、ファイルの場所はすべてこのようなテキストで表すことができます。

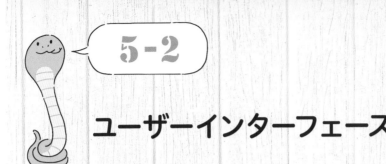

ユーザーインターフェース

ここでは、これから進める学習において必須となる新しい概念「ユーザーインターフェース」「GUI」と「CUI」について解説します。すでにご存じという方は飛ばして読み進めてもかまいませんが、そうでない方はCUIとは、GUIとは何か、ということについて理解していきましょう。

GUI、CUIはそれぞれ次の意味を表す用語です。

▶ **GUI** ‥‥‥‥‥ Graphical User Interface
▶ **CUI** ‥‥‥‥‥ Character User Interface

 ## ユーザーインターフェースとは

まず、2つに共通しているUser Interfaceについて紹介します。

ここでいうUser（ユーザー）は、私たち、パソコンを使う利用者を指しています。そして、Interface（インターフェース）は、境界面や接点を意味する言葉です。ここでは私たちユーザーとパソコンとの「接点」を表します。接点というと難しいですが、ひとまずかんたんに、パソコンを操作する画面として理解しましょう。パソコンの中にあるデータは、パソコンのディスプレイがなければ見ることができませんね。まずは画面が私たち「ユーザー」と「パソコンのデータ」との「接点」になります。

 ## GUIとCUI

GraphicalとCharacterの意味はそれぞれ、グラフィカル（視覚的）か、キャラクター（色々な意味を持つ言葉ですが、ここでは文字）で表されているかです。

GUIから先に見ていきましょう。普段、私たちがあまり意識せずに見ているWindowsやMacのパソコンの画面です。

一方のCUIは、コマンドプロンプトやターミナルの画面に表示されている画面に文字だけで表されるものです。今までコンソールを使って何度もPythonのプログラムを書いて試してきましたが、そのコンソールはCUIだったということです。

GUIとCUIは見た目がまったく異なるので、まったくの別物、別々のソフトウェアという風に見えるかもしれません。しかし、GUIとCUIは、いわば単なる画面の種類で、極端にいえばデザインの違いのようなものです。たとえば、CUI（コンソール）を使ってデスクトップに新しいファイルを作成したら、デスクトップ（GUI）にファイルが作成されているのを見ることができますし、逆にデスクトップからファイルを削除してしまえば、CUIからもそのファイルが削除されたことがわかります。

Fig　CUIで示す場所とGUIで見られる場所は同じ

さて、これからプログラムからファイルを読み込んだり、書き込んだりする方法を見ていきますが、先ほど述べた通り、プログラムからファイルを操作するにはプログラムに「ファイルの場所を」正確に伝える必要があります。その「正確」な伝え方を、次のページから学んでいきましょう。

CUIは何の略？

ここではCUIはGUIの対義語としてCharacter User Interfaceとしましたが、Console User Interfaceの略であるといわれたり、CUIではなく、CLI (Command Line Interface)といわれることもあります。Console（コンソール）というのは、Windowsでいうコマンドプロンプト、Macでいうターミナルを指しています。Command Lineも同様です。言い方が違っても本質的な違いはないので、あまり気にしなくても大丈夫です。

CUIでのパソコンの操作方法

GUIでは、利用したいアプリケーションや、開きたいフォルダのアイコンをマウスでクリックしていけば操作できますね。しかし、CUIでは、操作したい内容はすべてキーボードから文字で入力していかなければなりません。たとえばファイルを操作したいなら、まずファイルの場所をキーボードで指定するところから始める必要があります。

とにかく何でもキーボードから入力する文字で行わなければならないのが、これから学ぶCUIです。少し難しそうですが、実際に手を動かして操作しながら学んでいきましょう。CUIでの操作は、OS（Windows/Mac）で異なります。自分のOSに合わせた解説を参照してください。（Macの場合➡p.176）

Windowsの場合

Windowsの方は、まずコマンドプロンプトを起動しましょう。すでに立ち上げて何かを実行している方は、リセットの意味で再度立ち上げ直してください。

今まではpythonと入力してインタラクティブシェルを立ち上げ、プログラムを入力しながら進めてきましたが、今回はインタラクティブシェルを立ち上げません。Pythonから少し離れて、**Windowsコマンド**を使ってファイルの場所を確認したりしながらCUIに慣れるための練習をしていきます。Windowsコマンドとは、CUIでWindowsを操作するため用意されている「コマンド」です。

まずは、現在の「場所」について確認するコマンドについて理解します。コマンドプロンプトにcdと入力してみてください。そうすると、次のような文字が表示されます。

Console

```
C:¥Users¥kamata>cd ↵
C:¥Users¥kamata

C:¥Users¥kamata>
```

cdコマンドを実行すると、自分が今パソコンの中のどこを参照しているかが文字で表現されます。例ではUsersフォルダの中のkamataフォルダを参照していることがわかります。このフォルダ名はそれぞれの環境で異なります。次は「今このフォルダの中には何があるのか」を表示しようと思います。フォルダの中身を表示するには、ユーザーが今いるフォルダにあるファイルのリストを表示してくれる機能を持つdirというコマンドを使います。試しに入力・実行してみましょう。

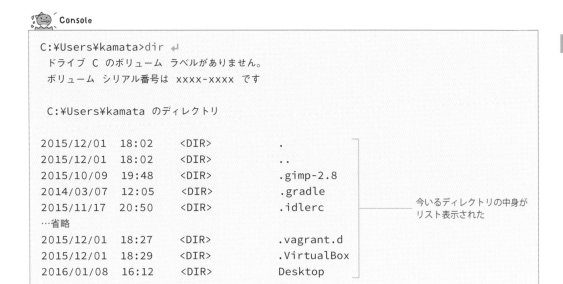

```
C:\Users\kamata>dir ↵
 ドライブ C のボリューム ラベルがありません。
 ボリューム シリアル番号は xxxx-xxxx です

 C:\Users\kamata のディレクトリ

2015/12/01  18:02    <DIR>          .
2015/12/01  18:02    <DIR>          ..
2015/10/09  19:48    <DIR>          .gimp-2.8
2014/03/07  12:05    <DIR>          .gradle
2015/11/17  20:50    <DIR>          .idlerc
…省略
2015/12/01  18:27    <DIR>          .vagrant.d
2015/12/01  18:29    <DIR>          .VirtualBox
2016/01/08  16:12    <DIR>          Desktop
```

今いるディレクトリの中身が
リスト表示された

CUI的な表現

「自分がどのフォルダの中身を見ているか」は、CUIでは擬似的に「自分がどこにいるか」と表現されることもよくあります。「カーソルがどこにあるか」というようなイメージでとらえるとよいでしょう。（カーソルのたとえ話➡p.195）

また、○○フォルダの「中」は○○ディレクトリの「下」とも表現することがあります。この違いもGUIとCUIのイメージの違いだと思うとわかりやすいでしょう。たとえばaa\bb（Macではaa/bb）はGUI的には「bbフォルダはaaフォルダの中にある」ですが、CUI的には「bbはaaの下にある」というわけです。「○○ディレクトリ直下」「○○ディレクトリ配下」などという表記もあります。

皆さんが普段のパソコンの操作で、何かファイルをダウンロードしたり、自分で作成したファイルをこのユーザー名の下のディレクトリに置いていれば、dirコマンドを入力・実行したときにそのファイルがここに表示されているはずです。

次に、「場所」を移動してみましょう。CUIで場所を移動するにも、cdコマンドを使いますが、先ほどとは違い、cdに続けて移動先（行きたい場所）を指定する必要があります。さっそく試してみましょう。今度は今までに紹介したコマンドを使って確認もします。

 Console

```
C:¥Users¥kamata>cd Desktop ↵

C:¥Users¥kamata¥Desktop>
```

cdの後、1つスペースを入れてDesktopと入力して移動先を指定し、実行しました。Desktopとは、名前の通り皆さんが普段GUIで見ているデスクトップを示しています。実行すると、先ほどまでユーザー名フォルダの下にいたのが、Desktopの下に移動していることがわかります。デスクトップにファイルを置いている方なら、ここでdirコマンドを入力・実行するとそれらのファイルが表示されます。

次に、CUIで新しくフォルダやファイルを作ってみます。まずはCUIでフォルダを作るためにmkdirコマンドを使います。フォルダには名前が必要なので、mkdirの後ろに1つスペースを開けてフォルダ名を指定して実行します。

 書式

```
mkdir（フォルダ名）
```

 Console

```
C:¥Users¥kamata¥Desktop>mkdir test_folder ↵

C:¥Users¥kamata¥Desktop>
```

test_folderという名前のフォルダを作りました。dirコマンドを入力すると、ファイルが作成されたことが確認できます。CUIの画面上で行ったことは当然GUIでも結果が見えますので、デスクトップを見たらフォルダが作成されているはずです。これで、CUIで操作している場所と、普段GUIで見ている場所は同じという感覚がつかめたでしょうか。

Fig　デスクトップにフォルダが作成された!

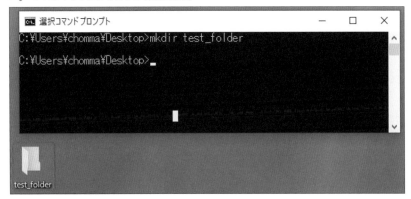

◆ コマンドの覚え方

cdやmkdirといったコマンドを見てきましたが、それぞれのコマンド名は操作の名称の略になっています。意味のない文字の羅列として覚えようとすると忘れやすいですが、由来や意味を知ると覚えやすくなりますので、それぞれのコマンドの名称の由来を紹介します。

まず、現在の「場所」を表示したり、現在の場所を移動するコマンドであるcdは"current directory"ならびに"change directory"の略です。ディレクトリはフォルダとほぼ同義ですので、読み替えて理解してください。次に、現在の場所に存在するファイルを表示するコマンドdirですが、これはdirectoryの略です。名前はそのままですが、今の場所であるディレクトリ（フォルダ）にあるファイルを表示する際に使用します。最後、mkdirは"make directory"の略で、ディレクトリ（フォルダ）を作成するという意味です。いずれもそのままですね。

Table　ここまで学んだコマンド一覧

コマンド	由来	内容
cd	current directory change directory	現在の場所を表示する 現在の場所から、指定した別の場所に移動する
dir	directory	現在の場所にあるファイルのリストを表示する
mkdir	make directory	現在の場所に、指定したフォルダを作成する

コマンド名の読み方・呼び方

1人で学習しているぶんにはよいのですが、スクールや職場などではコマンド名を声に出して読んだりすることもあるかと思います。ほとんどのコマンド名には公式の読み方や呼び方などはありませんので、人によってさまざまです。dirコマンドを例にとっても「ディレ」「ディーアイアール」「ディア」「ディアー」と少なくとも4通りあります。特に決まりはないので、自分が読みやすいもので呼ぶとよいでしょう。

 Macの場合

まずターミナルを起動しましょう。アプリケーションフォルダから、ユーティリティのフォルダを探すと、その中にターミナルがあります。

Fig　ターミナル（shellはデフォルトのbash）

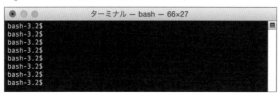

ここから、今までならばpython3と入力して、インタラクティブシェルを立ち上げ、プログラムを入力しながら進めてきました。しかし、ここでは、インタラクティブシェルを立ち上げずに、ファイルの場所を確認しながらCUIに慣れる練習をしていきます。CUIからパソコンを操作するために、いくつかの「コマンド」と呼ばれるものが用意されています。このあらかじめ用意されたコマンドを使って、CUIを操作していきます。

まずは、現在の「場所」について確認するコマンドpwdを紹介します。ターミナルにpwdと入力して実行してみてください。そうすると、次のような文字が表示されます。

 Console

```
$ pwd ↵
/Users/kamata
```

pwdは現在、今自分がパソコンの中のどこにいるのかという場所を文字で表現してくれるコマンドです。Usersフォルダの中のkamataフォルダの下にいることになります。（kamataというのは筆者がパソコンに設定しているユーザー名です）。ユーザー名のフォルダの中に、今いることがわかりましたので、次は、今このフォルダの中には何があるのかを表示しようと思います。それにはlsというコマンドを使います。lsというコマンドは、ユーザーが現在いるフォルダにあるリストを表示してくれる機能を持っています。さっそくターミナルに入力してみましょう。

```
$ ls ↵
Applications     Public        Library
Desktop          Movies        Documents
Music            Downloads      Pictures
```

ここも、筆者の場合と、皆さんの場合でそれぞれ違うと思います。皆さんが普段のパソコンの操作で、何かファイルをダウンロードしたり、自分で作成したファイルをこのユーザー名の下のディレクトリに置いていれば、このlsコマンドを入力したときに、そのファイル名が表示されているでしょう。

現在の「場所」と、そこにあるファイルを表示する方法がわかったところで「場所」を移動してみましょう。CUIで場所を移動するには、cdコマンドを使います。cdコマンドは今までのコマンドと違い、cdの後ろに移動したい先を指定する必要があります。何も指定しないこともできますが、その場合は/Users/（ユーザー名）の最初の場所に戻るようになっています。それでは、入力して試してみましょう。今度は今までに紹介したコマンドを使って確認します。

```
$ cd Desktop/ ↵
$ pwd ↵
/Users/kamata/Desktop
$ ls ↵
$
```

まず1行目で、cdコマンドを今回初めて使います。cdに続けて隣に1つスペースを入れてDesktop/を指定しました。ここは、名前の通り皆さんが普段見ているデスクトップと同じ場所を示しています。次に2行目で、pwdコマンドで現在の「場所」を表示しています。そうすると、先ほどまでユーザー名の下にいたのが、Desktopの下に移動していることがわかります。最後にls

コマンドを入力して、現在いる場所（Desktop）にあるファイルを表示します。例では何も表示されていませんが、それは筆者がデスクトップに何も置かないようにしているからです。なので、最後にlsコマンドを入力すると、デスクトップに何かを置いている方の場合は、さまざまなファイルが表示されたかもしれません。

　ここまでは、場所を移動したり、ファイルを閲覧するだけでしたが、ここから新しくフォルダやファイルを作っていきます。まずはフォルダをCUIから作るためにmkdirコマンドを使います。フォルダには名前が必要なので、

書式

```
mkdir フォルダ名
```

というように指定します。

Console

```
$ mkdir test_folder ↵
$ ls ↵
test_folder
```

　1行目でtest_folderという名前のフォルダを作りました。2行目でlsコマンドを入力し、ファイルが作成されたことを確認しています。デスクトップにフォルダが作成されているのをGUIの画面でも確認してみてください。これでCUIで操作している場所と、普段GUIで見ている場所が同じだという感覚がつかめたでしょうか。

♦ コマンドの覚え方

　それぞれのコマンドは操作の名称の略になっています。ただコマンドとして覚えようとすると覚えにくいのですが、ここではそれぞれのコマンドの元になった操作の名称を紹介します。まず、現在の「場所」を表示するコマンドであるpwdは、Print Working Directoryの略です。日本語に訳すと「作業しているディレクトリを表示する」となります。ディレクトリはフォルダと同じ意味の言葉です。次に、現在の場所に存在するファイルを表示するコマンドlsは「list」の略であるとされています。今いる場所にあるファイルの「リスト」を表示するという意味ですね。そして、現在の場所を移動するコマンドであるcdですが、これは「change direcotry」の略です。ディレクトリ、つまりフォルダをチェンジするというそのままの意味を表しています。そして最後に、mkdirは、make directoryの略で、ディレクトリ（フォルダ）を作成するという意味です。

Table 今まで学んだコマンド一覧

コマンド	由来	内容
pwd	print working directory	現在の場所を表示する
ls	list	現在の場所にあるファイルのリストを表示する
cd	change directory	現在の場所から、指定した別の場所に移動する
mkdir	make directory	現在の場所に、指定したフォルダを作成する

 ## ファイル操作をともなうプログラミングを始める準備

Pythonでファイルの操作（読み込んだり、書き込んだり）をするためには、Pythonにファイルの場所を伝える必要があるというところから、Pythonを少し離れて、Windows、Macそれぞれで CUIからファイルの操作を行う方法をかんたんに紹介しました。

ここからはまたPythonに戻ってファイル操作の方法を学びます。まずはいつものようにインタラクティブシェルをpythonコマンドで起動するのですが、その前に今回は専用のフォルダpy_folderを作り、その中でインタラクティブシェルを起動します。

pythonコマンドを実行して起動したフォルダ（ディレクトリ）が今いる場所となります。この「今いる場所」のことをカレントディレクトリと呼びます。

フォルダを指定せずにそのままコマンドを実行すると、カレントディレクトリで実行したことになります。

◆ Windowsの場合

Windowsの方は次のように実行します。

Console

```
C:¥Users¥kamata>cd Desktop ↵ ————————————————— デスクトップに移動する
C:¥Users¥kamata¥Desktop>mkdir py_folder ↵ ——————————— 新規フォルダ作成
C:¥Users¥kamata¥Desktop>cd py_folder ↵ ———————— ↑で作成した新規フォルダに移動
C:¥Users¥kamata¥Desktop¥py_folder>python ↵ ——————— インタラクティブシェルを起動
```

なお、cd Desktopの実行でDesktopディレクトリに移動するには、実行時の時点でユーザー名のフォルダから始める必要があります。もしエラーが出る場合はcd C:¥Usersと実行した後にdirコマンドを実行します。表示されたディレクトリ名の中から自分のユーザー名を選び、cd コマンドで移動した場所でcd Desktopを実行してください。

◆ Macの場合

Macの方は次のように実行します。

```
Console
$ cd Desktop/ ↵ ●───────────────────────────── デスクトップディレクトリに移動
$ mkdir py_folder ↵ ●──────────────────────────────── py_folderを作成
$ cd py_folder/ ↵ ●────────────────────────────────── py_folderに移動
$ python3 ●────────────────────────────── インタラクティブシェルを起動
```

py_folderを作った後、そのフォルダの中に入り、インタラクティブシェルを起動しました。
もしエラーが出る場合は、cdと実行した後に、cd Desktop/を実行してください。

zipファイルの解凍と圧縮

ここではPythonでzipファイルを解凍したり、圧縮するプログラムを書いていきます。zipfileモジュールを使いこなせるようになるとPythonでできることの幅が広がります。

 ## zipファイルを作ったり解凍したりする

　zip形式のファイルをインターネットからダウンロードしたり、作ったデータをzip形式に圧縮したことはありますか？ Pythonでは`zipfile`モジュールを使うことで、かんたんにプログラムからzip形式のファイルを扱うことができるようになります。

▶ オンラインのzipfileのドキュメント

　Python3系 `URL` https://docs.python.org/ja/3/library/zipfile.html

◆ ファイルの解凍方法

　まずはzipファイルの解凍を試してみましょう。ここではzipファイルの例として、気象庁の公式サイトにてzip形式で提供されている「normal_typhoon.zip」という台風のzipファイルを使用します。

　以下のリンク先からダウンロードしてください。

▶ 気象庁　平年値ダウンロード

`URL` https://www.data.jma.go.jp/obd/stats/data/mdrr/normal/index.html

Fig　気象庁

　他にもパソコンで既にzip形式で保存されたファイルがあれば、それを使って試してみてください。また、今回の例で使うzipファイルはWindowsならCドライブ、Macを利用している人はホームの「ユーザ名」ディレクトリの直下にフォルダを新しく作って、その中に入れておいてください。本書では「workplace」というフォルダを作ります。

　Pythonでzipファイルを解凍する準備を、以下の順番で行ってください。

① 新しく workplace という名前のフォルダを作成する
　（WindowsはCドライブ、Macは「ユーザー名」ディレクトリの直下）
② zipファイルをダウンロードして、① のフォルダの中に保存する
③ コンソールを開き、cdコマンドでworkplaceフォルダに移動する[※1]
④ インタラクティブシェルを開き、次のプログラムを順に実行する

※1　Windowsの場合：cd C:¥workplace
　　　Macの場合：cd /Users/ユーザ名/workplace　　　で移動する

```
>>> import zipfile ↵
>>> files = zipfile.ZipFile('normal_typhoon.zip') ↵
>>> files.namelist() ↵
['normal_typhoon/nml_typhoon.pdf', 'normal_typhoon/nml_typhoon_heinenchi.
        csv', 'normal_typhoon/nml_typhoon_kaikyuukubunchi.csv']
>>> files.extract('normal_typhoon/nml_typhoon.pdf') ↵
'C:\\workplace\\normal_typhoon\\nml_typhoon.pdf'  ●─────── Windowsの場合
'/Users/ユーザ名/workplace/normal_typhoon/nml_typhoon.pdf'  ●─── Macの場合
>>> files.extractall() ↵
>>> files.close() ↵
```

zipfileモジュールを読み込み、ZipFileメソッドを利用して、zipファイルのオブジェクト
を読み込みます。このとき、ZipFileメソッドは大文字と小文字に気をつけて入力してください。

また、ZipFileメソッドを利用してファイルを読み込もうとしたときに、次のような
FileNotFoundErrorが発生する場合、読み込もうとしたzipファイルがPythonの実行場所にな
いのが原因です。ZipFileメソッドの引数に、ファイルを配置しているディレクトリ名を追記し
てから、再度実行してください。　**5-4 ファイルの場所 (パス) を確認するには➡p.185**

▶ **FileNotFoundErrorの例**

```
>>> files = zipfile.ZipFile('normal_typhoon.zip')
Traceback (most recent call last):
  File "<stdin>", line 1, in <module>
  File "C:¥Users¥chomma¥AppData¥Local¥Programs¥Python¥Python310¥lib¥zi
        pfile.py", line 1240, in __init__
    self.fp = io.open(file, filemode)
FileNotFoundError: [Errno 2] No such file or directory: 'normal_
        typhoon.zip'
```

zipfileオブジェクトを開くことができたら、namelistメソッドを使って、どのようなファイルが
zipとして圧縮されているかの確認が出来ます。どのようなファイルが入っているかが確認できる
と、欲しいファイルだけを解凍することが出来ます。今回は、「normal_typhoon」というファイ
ルの中に、pdfファイルと二つのcsvファイルが入っていることがわかりますね。extractメソッ
ドに、namelistメソッドで取得したファイル名を入力すると、そのファイルだけ解凍され、ど
の場所に解凍されたかが表示されます。「normal_typhoon/nml_typhoon.pdf」は、normal_
typhoonフォルダのnml_typhoon.pdfファイルを表現しています。

まとめてすべて解凍するには、extractallメソッドを利用します。extractallメソッドで

すべてのファイルを解凍したら、zipfileオブジェクトからcloseメソッドを最後に実行して、zipfileオブジェクトを終了させておきましょう。

♦ ファイルの圧縮方法

ファイルの圧縮のサンプルでは先ほど解凍したものを使用しますが、皆さんはパソコンに保存してある適当なファイルで圧縮を試してみてください。ここでは、まず圧縮した後に、先ほど学んだnamelistメソッドを使って、指定した通りに圧縮できているかどうかを確認するところまで解説します。インタラクティブシェルは、解凍と同じくworkplaceフォルダで起動しましょう。

Interactive Shell

```
>>> import zipfile ↵
>>> zip_file = zipfile.ZipFile('my_typhoon.zip',mode='w') ↵
>>> zip_file.write('normal_typhoon/nml_typhoon.pdf') ↵
>>> zip_file.close() ↵
>>> file = zipfile.ZipFile('my_typhoon.zip') ↵
>>> file.namelist() ↵
['normal_typhoon/nml_typhoon.pdf']
```

zipfileモジュールをimportで読み込みます。そして、zipファイルを解凍するときにも使ったzipfileモジュールのZipFileメソッドを再び使います。しかし引数に指定するものが解凍するときと違うので書式を確認します。

書式

```
zipfile.ZipFile('圧縮後のファイル名.zip', mode='w')
```

最初にどのような名前でzipファイルを保存するかを指定します。

第1引数に圧縮後のファイル名を書き、そして第2引数にmode='w'を書きます。

この'w'は、writeのwで、zipfileに「書き込む」という意味です。続いて元のプログラムの説明に戻ります。

3行目で、圧縮したいファイルを指定しています。

ここではnormal_typhoonのnml_typhoon.pdf ファイルを、my_typhoon.zipという名前で作成します。

4行目で解凍した時と同様にcloseメソッドを呼び、処理を終了しましょう。

実際にファイルが生成されているかは、ファイルが存在するかどうかでわかります。5行目でZipFileモジュールを使って、先ほど指定したファイル名を読み込んでいます。

```
>>> file = zipfile.ZipFile(' my_typhoon.zip ') ↵
>>> file.namelist() ↵
```

最後に6行目でnamelistメソッドを読み、writeメソッドで指定したファイルであることも
データで確認することができました。

ちなみに各メソッドでファイル名を書いている引数には、ファイル名だけでなく、フォルダ名を
含めて指定することができます。例えば、次のようになります。

▶ ファイルの場所も含めて指定する例（ファイルの圧縮）

```
zip_file.write('C:\\workplace\\normal_typhoon\\nml_typhoon.pdf')  ●━━━━━ windows
zip_file.write('/Users/ユーザ名/workplace/normal_typhoon/nml_typhoon.pdf')  ●┈┈┈┈ Mac
```

 ## ファイルの場所（パス）を確認するには

確認したいファイルを、インタラクティブシェルにドラッグ＆ドロップすると、そのファイルの
場所が表示されます。その表示をコピーして、zipfile.ZipFile関数の引き数として利用して
ください。

◆ Windowsでファイルの場所を入力する時の注意

Windowsでは、フォルダごとの区切りを「¥」で表現しています。ただ、「¥」は他のアルファベッ
トなどと組み合わせて、別の意味をプログラムで表現することに使われています（例:¥nで改行を
表現）

そのため、インタラクティブシェルにドラッグ＆ドロップしたときの表示をそのまま使うと、
ファイルの場所として正しく認識されず、Invalid argumentエラーになることがあります。

対応方法として、ファイルの場所を表現する文字列の先頭に「r」をつけてください。そうするこ
とで、「¥」を特別なものではなく、単純に文字列としてプログラムに認識させることができます。

▶ ファイルの場所に「r」つけた例

```
files = zipfile.ZipFile(r'C:\workplace\normal_typhoon.zip')
```

これからファイルを読み込んだり、ファイルに書き込んだりするプログラムを書いていきます。そのためには、まずファイルオブジェクトを作る必要があります。

　ファイルをプログラムから操作するときは、ファイルオブジェクトを介して操作を行う必要があります。例えるなら、ファイルオブジェクトは厳格な鍋奉行で、みなさんは鍋（ファイル）に直接食材を入れたり、鍋から食材を取ることを許されておらず、何をするにも鍋奉行にお願いをする必要がある状況のようなものと考えてください。

 ## ファイルオブジェクト

　ファイルオブジェクトを作るには、open( )という組み込み型の関数（➡p.123）を使います。まずは、このopen( )（以下、open関数と呼びます）とファイルオブジェクトについて理解していきましょう。

　ファイルオブジェクトには、いくつかのモードがあります。一般的にモードという言葉にはいくつかの意味がありますが、ここでいうモードは、戦闘モードとか、防御モードとかのように、機能の形態を表すようなイメージでとらえてください。ファイルオブジェクトには、書き込みモード、読み込みモード、あるいは両方を備えたモードなどの形態があります。プログラムで実行しようとしていることに合わせて、それぞれのモードを変える必要があります。

Fig　ファイルオブジェクトのイメージ

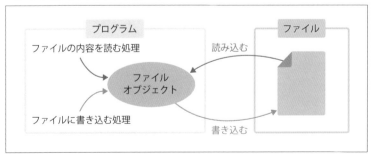

ファイルオブジェクトを作ってみる

まずはファイルオブジェクトを作る書式から確認していきます。

5

5-5
▼
ファイルオブジェクト

書式

```
open("ファイル名", "モード")
```

open関数は、print関数と同様の組み込み関数です。組み込み関数の場合、新しいライブラリをimportする必要はありません。（import➡p.159）

関数の1つ目の引数には、「読み込む」もしくは「書き込む」ファイルの名前を、2つ目の引数には、作ろうとしているオブジェクトのモード（読み込みモード、書き込みモードなど）を指定します。

Table モードの指定の仕方

モードの指定	意味
r	指定したファイルを読み込むためのモード
w	指定したファイルに新しく書き込むためのモード
a	指定したファイルに追記するためのモード

それぞれ、読み込みはreadの「r」、書き込みはwriteの「w」、そして追記がaddの「a」と覚えてください。

ここで注意する点があります。それは、読み込みモードで存在しないファイルのファイルオブジェクトを作ろうとするとエラーが発生するということです。存在しないものを開こうとしてエラーが出るということなので、当たり前といえば当たり前ですね。実際にプログラムを書いて、確認してみましょう。

Interactive Shell

```
>>> open('null.txt', 'r')
Traceback (most recent call last):
  File "<stdin>", line 1, in <module>
FileNotFoundError: [Errno 2] No such file or directory: 'null.txt'
```

存在しないnull.txtの読み込みモードのファイルオブジェクトを作ろうとして、FileNotFoundErrorというエラーが発生しました。一番下の行に表示されている英語のメッセージは「null.txtという名前のファイルやディレクトリは見つかりません」という意味です。

一方で、書き込みモードでファイルオブジェクトを生成するときには、関数の引数に指定した
ファイルが存在しなくとも、エラーは発生しません。なぜならこの書き込みモードは、指定した
ファイルが存在しているかいないかに関係なく、指定したファイル名にデータを書き込むからで
す。もしファイルが存在しなければ、新しく指定したファイル名でファイルを生成、ファイルが存
在すれば、データを上書きで書き込む動作になります。テキストを編集したりするアプリケーショ
ンの「メモ帳」や「テキストエディタ」などの動作でいうと、書き込みモードは常に「新規作成&上書
き保存」です。

モードは指定するようにしよう

　ファイルオブジェクトを開くときにモードを指定せず、open('sample.txt')とすると、読み込
みモードとしてファイルオブジェクトが作られます。指定しなくとも読み込みモードで使えるのは楽で
すが、初めのうちはモードを意識するためにもモードは指定するようにしましょう。後になって読み返
すときに何モードかわかりやすいというメリットもあります。

書き込みモードを試す

Pythonで書いたプログラムから、ファイルにデータを書き込む手順を確認します。

1　ファイルオブジェクトを書き込みモードで作成
2　ファイルオブジェクトを使って、ファイルに書き込み
3　ファイルオブジェクトを破棄

　実際にこの手順に沿って実行した例を次に示します。最後にファイルオブジェクトが破棄された
ことを確認します。また、実際にファイルに書き込みが行われたことを、普段GUIで行っている操
作（ファイルをダブルクリックなど）でファイルを開いて確認してみてください。

Interactive Shell

```
>>> file_object = open('python.txt', 'w') ↵
>>> file_object.write('this is sample of python.') ↵
25 ●————————————————————————— 書き込んだ文字数が表示される
>>> file_object.close() ↵ ●———————————————— ファイルオブジェクトを破棄
>>> file_object.write('this is sample of python.') ↵ ●——— 本当に破棄されたか確認
Traceback (most recent call last):
  File "<stdin>", line 1, in <module>
ValueError: I/O operation on closed file.
```

ファイルオブジェクトが破棄されたので
エラーが出る

解 説

　1行目は、ファイル名をpython.txtに、modeをw（書き込みモード）に指定して、ファイルオブジェクトを生成しています。ファイルオブジェクトは、変数にセットしておいて、この後で書き込む操作をするために使います。変数名はfile_objectとしていますが、好きな変数名を使って問題ありません。

　続いて2行目では、file_objectのwriteメソッドを使っています。writeメソッドは引数に指定したデータをpython.txtに書き込みます。そして最後に、生成したファイルオブジェクトをcloseメソッドを使って破棄します。closeした後は、そのファイルオブジェクトを使うことはできません。読み取りや、書き込みを行いたい場合は、再びファイルオブジェクトを作る必要があります。

　ここで1つポイントがあります。実はプログラムでは、ファイルオブジェクトのwriteメソッドが実行されるたびに、毎回ファイルにデータを書き込んでいるわけではありません。ファイル自体は、open関数でファイルオブジェクトを生成した時点で作成されますが、writeメソッドを実行してすぐそのファイルを確認してみると、書き込みがされていないことがあります。なぜそのようなことになっているかですが、ファイルに書き込む処理というのは、他のプログラムの処理に比べると、とても時間がかかる処理なのです。もし、毎回ファイルに書き込んでいると、プログラムで高速に繰り返し書き込む処理が行われるようなとき、書き込む処理の時間が、全体のプログラムの実行時間に大きな影響を与えてしまいます。

　このような理由から、writeメソッドを実行するたびにファイルに書き込むのではなく、書き込む内容をある程度溜めておいて、特定のタイミングで書き込んでいます。

　これはたとえば、晩ごはんに必要な材料の買い物をお願いするときに、必要な材料を思いつく度にお店に行ってもらうのは、往復する時間の無駄ですので、必要な材料をリストにまとめてから、実際に買い物に行ってもらいますよね。「お店への往復」が「書き込み処理」で、「必要な材料」が「ファイルに書き込む内容」です。

　なお、ファイルオブジェクトをcloseしたときには必ず書き込みが行われます。「もう書き込むことがなさそう」と判断できれば、データを書き込んでおかないといけないですからね。

　また、ファイルオブジェクトに用意されているflushメソッドを次のように使えば、書き込みのタイミングを指定することもできます。また、ファイルオブジェクトはcloseしないけど、ファイルに書き込んでほしいときはファイルオブジェクトに用意されているflushメソッドを使えば、好きなタイミングで書き込みを実行することができます。

Interactive Shell

```
>>> file_object = open('python_flush_test.txt', 'w') ↵
>>> file_object.write('Use flush!!') ↵
11
>>> file_object.flush() ↵                                    書き込みを実行
```

新しく作成したファイルの場所を確認する

　書き込みモードで作成したファイルの場所を、GUIで改めて確認してみましょう。はじめにCUIの操作でデスクトップへ移動し、新しく作ったフォルダ（py_folder）へ移動してから、作業を始めましたね（➡p.179）。そこでファイルオブジェクトのwriteメソッドを使って、ファイルを作成するときにファイル名を指定しました。そのとき、ファイルの場所は指定しませんでした。このようにファイルの場所を指定しなかった場合には、そのときに作業をしていた場所に自動的にファイルを作るようになっています。GUIでデスクトップを表示し、py_folderという名前のフォルダを確認してみてください。そのフォルダを開いたら、今回Pythonから作成したファイルが確認できたでしょうか。

Fig　GUIから見たファイルのスクリーンショット

 読み込みモードを試す

　Pythonからファイルを読み込むためには、次の手順にそったプログラムを書きます。

1　読み込みモードでファイルオブジェクトを作成
2　ファイルオブジェクトのreadメソッドで読み込み
3　ファイルオブジェクトを破棄

実際にプログラムで書いて、実行した例を次に挙げます。

Interactive Shell

```
>>> file_object = open('python.txt', 'r')
>>> file_object.read()
'this is sample of python.'
```

1行目で、open関数を使って、先ほど作ったpython.txtのファイルオブジェクトを作りました。そのファイルオブジェクトを書き込みのときと同様にfile_objectという名前の変数にセットします。次に2行目で、file_objectのreadメソッドを呼び出しました。すると、3行目でこのpython.txtの中に書いたテキスト「this is sample of python.」が表示されたのが確認できましたね。

ここで、python.txtというファイル名だけを指定してファイルを開きました。先ほど書き込みをした場所と同じ場所で読み込みを実行したので、そのままファイルが開けた、ということです。たとえば一度、コマンドプロンプトやターミナルで別の場所に移動してから、先ほどの読み込みモードのプログラムを実行してみると、作業している場所にpython.txtがないため、読み込みエラーになります。

 ## ファイルとその場所の指定

デスクトップにpy_folderというフォルダを作り、その中にpython.txtというファイルをPythonから作りました。先ほどの読み込みモードでは、ファイルを読み込むプログラムを、ファイルを作成したのと同じ場所で実行したので読み込むことができました。今回は、同じ場所でないところからpython.txtを開く方法を紹介します。open関数を呼ぶときに、ファイル名を指定するところに、ファイルの場所も含めたテキストで指定します。

Interactive Shell　　Windowsの場合

```
>>> file_object = open('C:¥¥Users¥¥ユーザー名¥¥Desktop¥¥py_folder¥¥python.txt','r') ↵
>>> file_object.read() ↵
'this is sample of python.'
```

※Windowsの場合、文字列として場所を指定する際は、フォルダを¥¥で区切る必要があります。

Interactive Shell　　Macの場合

```
>>> file_object = open('/Users/ユーザー名/Desktop/py_folder/python.txt', 'r') ↵
>>> file_object.read() ↵
'this is sample of python.'
```

このように、この章の最初に紹介した方法でファイルを指定した場合、エラーが出ることなく、正常にファイルの内容を読み込むことができました。

もし、No such file or directoryというエラーメッセージが出てしまった場合は、指定した場所が間違っていないかどうかを確認してください。

追記モードを試す

　今度は、すでにあるファイルに対して中身を追記（追加で書き込み）してみましょう。手順は次の通りです。

1 追記モードでファイルオブジェクトを生成
2 ファイルオブジェクトのwriteメソッドで書き込み
3 ファイルオブジェクトを破棄

　今から、書き込みモードで作成したテキストファイルpython.txtに対して、文字列のデータを追記していきます。

Interactive Shell

```
>>> file_object = open('python.txt', 'a') ↵
>>> file_object.write('Add data from program!!') ↵
23
>>> file_object.close() ↵
```

　先ほどの書き込みモードと、モードの指定以外は同様であることが見比べてもわかると思います。こちらを実行した後に、追記したファイルpython.txtを開いてみると、文字が追記されているのが確認できます。

 ## 外部ファイルへの読み込み+書き込み

　ここまで、目的に応じたモード（読み込み専用・書き込み専用など）で生成したファイルオブジェクトから「読み込み」もしくは「書き込み」のように単純なファイル操作を行いました。しかし、実際にプログラムで何か作ろうとするときには、たとえば「ファイルを読み込んで、内容を確認してから新しく追記したい」というように、複数の操作を一度にファイルに対して実行したいことも出てきます。そんなとき、「読み込み用」や「書き込み用」というようにそれぞれのファイルオブジェクトを作るのではなく、「読み込み用」と「書き込み用」の両方を行うことができるファイルオブジェクトを生成することもできます。

　さっそく試してみましょう。読み込み+書き込みを行いたいときは、読み込みモード時に指定したrに「+」を追加します。

```
>>> file_object = open('python.txt', 'r+')
>>> file_object.read()
'this is sample of python. Add data from program!!'
>>> file_object.write('Use r+ mode.')
12
```

　実行内容を見ていきましょう。まず、1行目では、ファイルを読み込み＋書き込み (r+) モードで開いています。次に、2行目で「ファイルの内容が読み込める」ということを確認します。3行目に'this is sample of python. Add data from program!!'というテキストが表示されていますね。これはpython.txtの中身ですので、python.txtが読み込まれたということが確認できました。その後、4行目では、テキストを書き込んでいます。使用しているのは先ほど使ったwriteメソッドです。書き込む内容は何でもいいのですが、今回は「User r+ mode.」と書き込んでみます。その次の行を見ると、12と表示されていますね。これが何の数だか見当がつくでしょうか？　数えてみればわかるのですが、この12とは「User r+ mode.」の文字数です。書き込みたい文字列の文字数が表示されたことで、書き込みができたという確認になります。ここまでで、同じファイルオブジェクトについて実行できました。

　最後に、ファイルを開いた時点ですでに書いてあった文字と、追記で書いた文字がちゃんとつながってファイルに入っているかを確認するために、readメソッドを使用して読み込みたいと思います。

```
>>> file_object.read()
''
```

　おや？　返ってきたのは''のみ。空の文字列です。どういうことでしょうか？　ひとまずファイルオブジェクトをcloseして終わりましょう。

```
>>> file_object.read()
''
>>> file_object.close()
```

この結果を見た限りでは、一見ファイルにデータを書き込めなかったように見えますね。でもちゃんと書き込めていますので安心してください。なぜこのように表示されているかというと、この2回目にreadメソッドを使ったとき、1回目にreadメソッドを使ったときから、ファイルを読み込み始める場所が移動しているためです。

　皆さんがWordやテキストファイルで文章を書いたり読んだりコピー＆ペーストをするときには「カーソル」を使っているかと思います。ファイルを読み込み始める位置は、そのカーソルのイメージです。コピーするとき、コピーしたい箇所の先頭から末尾までカーソルを使って選択しますね。readメソッドを使った後は、読んだ分だけカーソルが移動している、というイメージです。

Fig　readメソッドの「ファイルを読み込み始める位置」のイメージ

　先ほどのように、ちゃんと元の文字列に追記できているかを読み込んで表示させるには、一度readメソッドを使った後、もう一度最初からすべてを読み込むよう、読み込み始める場所を先頭に戻してあげる必要があります。そのとき使用するのがseekメソッドです。

Interactive Shell

```
>>> file_object = open('python.txt', 'r+')
>>> file_object.read()
'this is sample of python. Add data from program!! Use r+ mode.'
>>> file_object.read()
''
```

　先ほどのプログラムと、途中まで同じです。2行目でreadメソッドを使ってファイルの読み込みをしています。続けてもう一度readメソッドを読み込むと、空の文字列''が表示されていますね。次に先ほどと同じようにwriteメソッドで文字列を追記します。

Interactive Shell

```
>>> file_object.write('Happy Hacking!')
14
```

書き込んだ内容を確認するためには、まずseekメソッドを使って、ファイルを読み込み始める場所を先頭に戻します。

```
>>> file_object.seek(0) ↵
0
```

その後にreadメソッドを使って、ファイルに書いてあるすべてのテキストを読み込みました。

```
>>> file_object.read() ↵
'this is sample of python. Add data from program!! Use r+ mode. Happy
        Hacking!'
>>> file_object.close() ↵
```

追記したぶんもあわせて、無事に確認できました。最後にcloseメソッドでファイルオブジェクトを閉じて、ファイルへの書き込みを完了させましょう。最後に、GUIから実際のファイルをテキストエディタなどで開いて、書き込まれていることを確認してみてください。

 ## withを使ったファイルの書き込み

ここまで、ファイルへの操作を学んできました。ファイルオブジェクトをopen関数で作成して、writeメソッドでテキストを書き込んだり、readメソッドで読み込んだりして、最後はcloseメソッドでファイルオブジェクトを破棄する一連の流れを紹介しました。しかし、最後のcloseメソッドは必ず呼ばなければいけないのに、ついつい忘れそうですよね。そんなときに使いたいのがwithというキーワードです。このwithを使うと、ファイルオブジェクトが自動的にcloseされるような書き方ができます。まずは書式から見てみましょう。

書式

```
with open('ファイル名', 'モード') as ファイルオブジェクト名:
tab ファイルへの操作
```

このように書くことで、with以下にインデントを入れて書いたプログラムが実行されている間だけファイルオブジェクトは保持され、withの箇所（ブロックといいます）を抜けるとファイルオブジェクトが自動的にcloseされます。実際にプログラムで実行してみましょう。

Interactive Shell

```
>>> with open('with.txt', 'w') as file_object: ↵
... tab file_object.write('using with!') ↵
... ↵
11
```
┤─── withのブロック

withのブロックを抜けると、自動的にfile_objcctがcloseされて、ファイル（ここではwith.txt）に書き込まれます。GUIからインタラクティブシェルを起動した場所を確認して、with.txtが生成されていること、using with!と書き込まれていることを確認してみてください。また、file_objectを操作しようとすると、「すでにcloseされている」というエラーが表示されますので、確認のために試してみると理解が深まるでしょう。

モードを間違えたらどうなるの？

ちなみに、読み込み用に生成したファイルオブジェクトに対して、書き込むとエラーが発生します。試してみるとわかりますが、Unsupported Operationというエラーが出ます。これは「それはサポートされていない操作ですよ」という意味のメッセージです。

Interactive Shell

```
>>> obj = open('python.txt', 'r') ↵
>>> obj.write('can I take it?') ↵
Traceback (most recent call last):
  File "<stdin>", line 1, in <module>
io.UnsupportedOperation: not writable
```

1行のプログラムの長さは最大79文字まで

突然ですが、1行のプログラムの長さは長くとも79文字までにするのがよいとされています。「なぜ79文字なのか？」と思いますよね。ずいぶん細かいルールだと感じた方もいるかもしれません。このルールの意図するところは、単純に「一定の長さ以内に、すべてのプログラムの1行の長さがそろっていれば、見やすいよね」ということです。ではなぜ79文字かというと、昔のコンピューターのモニタで表示できる最大文字が80文字だったためです。「最大79文字にすれば、行末のマーカー（入力するためのマーク）が入ってもモニタの80文字に収まるから」という理由で79文字なのです。

このように、特に厳密な理由から79文字というわけではないので、たとえばチームで「100文字以内に収めるようにしよう」という決まりを作って開発をすることには何の問題もありません。仕事などで規模の大きいプログラムを書いていると、「長い変数名を複数とる関数の定義」など、1行の長さが伸びていく原因となるきっかけが多くありますが、そんなときには、この79文字ルールを思い出してください。

インデントについて

◆ タブとは

本書ではインデントにtab（タブ）を使用していますが、そもそもこのタブとは何でしょうか？tabキーを押して入れるタブの入れ方には、実は2種類あります。1つ目は「ハードタブ」です。ハードタブで入れるタブは「タブ文字」と呼ばれ、「正規表現」という表現方法では「¥t」で表現されます。一般的に「タブを入れる」というときは、このハードタブを指します。2つ目は「ソフトタブ」です。ソフトタブとは、テキストエディタの設定でtabキーに「tabキーを1回押すとスペースを何個分入れるか」を指定することによって、タブ文字ではなくスペースを入れる方法です。

◆ インデントは、スペース4つがベター

本文で解説した通り、Pythonではインデントすべきところでインデントするのが必須です。ただし、そのインデントの入れ方にはPythonでは特に規定がありません。そのプログラム内で統一されていれば、tabでもスペースでもOK、いくら入れてもOKです。本書では入力をかんたんにするためにtabを使っていますが、本当はスペース4つがベターです。その理由を次に示します。

上記の通り、tabキーに設定しているスペースの数は、個人あるいはエディタの設定によって異なる場合があります。設定によっては、tabキー1回分で入力できるスペースが4つだったり、6つだったりする、ということです。

見た目上は同じ幅だけインデントされているように見えても、タブ文字とスペースが混在していると、Python3系ではtabErrorというエラーになります。

すべてのPythonのプログラムのインデントがスペース4つで統一できれば、どのエディタで開いても見た目がそろって読みやすいプログラムになります。「スペースでインデントを入れるのに、スペース

キーを4回押すのは手間だし間違えやすそう」と思われるかもしれませんが、エディタの設定で「tabを
スペース4つにする」ようにすればOKです。

　ただし、皆さんが途中からプロジェクトに参加して、そのプロジェクトのPythonのプログラムがtab
でインデントされていたら、tabでそろえましょう。「郷に入れば郷に従え」で、ルールにとらわれず、
全体の統一感を優先させることが大切です。

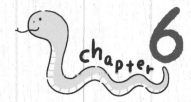

さまざまな機能を取り込もう

この章では、プログラミングでより高度なことを実現する方法を学んでいきます。ただし、高度なことといっても、心配はいりません。外部から読み込んだプログラムを使い、難しい処理をまかせることで、私たちはかんたんに便利な機能を使うことができるのです。

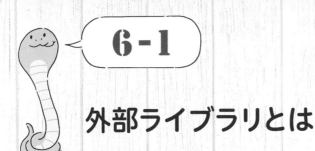

外部ライブラリとは

4-3で標準ライブラリについて学びました。「標準」と「外部」では何が違うのかというと、Pythonという言語に含まれているライブラリを標準ライブラリ、含まれていないライブラリを「外部ライブラリ」と呼びます。

 ## 外部ライブラリを使う前に

　プログラム中で`import`というキーワードを使って読み込むだけで使える機能群が標準ライブラリ、それだけでは使えないのが外部ライブラリです。外部ライブラリを使うにはどうしたらよいかというと、最初にPythonをインストールしたように、外部ライブラリも別途インストールする必要があります。

　4-3で紹介したように、Pythonには実に多様な標準ライブラリが用意されています。標準ライブラリは、多くの人たちが使いたいであろう機能群を、Pythonを作っている人たちが議論してPython本体に追加したものです。一方、外部ライブラリはいわばオプションです。標準ライブラリに比べてより高度で複雑な処理を行うため、ライブラリ自体のサイズが大きかったり、特定の人たちにのみ必要な機能であったりするので、Python本体とは別に開発・提供されています。

 ## 外部ライブラリは今も増えている

◆ この章の読み方

　6-1で、外部ライブラリとは？を説明します。**6-2**、**6-3**、**6-4**は、それぞれ独立していてPythonでプログラムを数行書くだけでこんなことができるんだ、ということを体験していただきます。興味のあるものだけ試してみても大丈夫です。

　そして最後の**6-5**でより外部ライブラリを深く理解するために、実際に外部ライブラリを自分の手で作成するのを体験してもらおうと思います。

Fig 6章のすすめ方

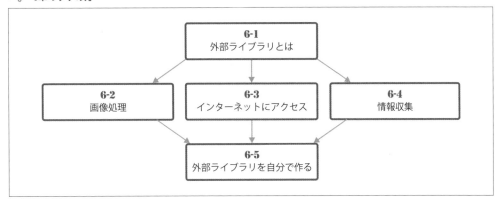

　6-2、**6-3**、**6-4**はそれぞれ独立しているので、興味のある章だけ読んで、**6-5**にすすんでも問題ありません。

　実は、外部ライブラリは誰でも開発して公開することができます。つまり、皆さんがこの本で学んだPythonの文法を使い、ライブラリのかたちにまとめてインターネットで公開すれば、それはもう外部ライブラリです。今これを読んでいる間にも、新しく便利なライブラリが世界のどこかで開発され、公開されているでしょう。Pythonを使うさまざまな国の人たちが、本当にいろいろなライブラリを書いて公開しているのです。

　それでは、そのいろいろある外部ライブラリの探し方について紹介します。まず、当然といえば当然なのですが、インターネットでそのまま検索するのが一番無難です。「Python」というキーワードとともにやりたいことを検索すると、よく使われている定番ライブラリが見つかると思います。たとえば、「Python 画像処理」、「Python グラフ 描画」などのキーワードで検索するのが、手っ取り早くて確実です。先ほど紹介した通り、外部ライブラリは非常に多くの数があるので、そのクオリティも千差万別です。そんな中、多くの人に使われ、動作が確認されている外部ライブラリは安心で便利という見方ができます。

　もう1つ紹介したいのが、非常に多くのPythonの外部ライブラリが登録されているPyPI（パイパイ）というWebサイトです。PyPIとは「Python Package Index」の略で、本書執筆時点（2021年12月）で34万を超えるプロジェクトが登録されています。画面中央の検索Boxからキーワードを入力すれば、外部ライブラリを検索することもできます。

▶ PyPI
　`URL` https://pypi.org/

Fig PyPIのTOPページ

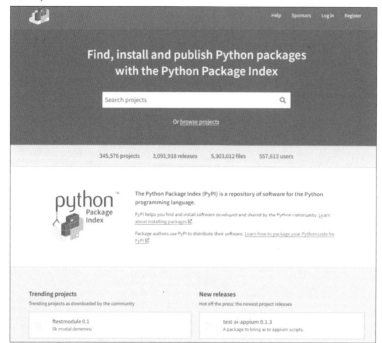

Fig PyPIのTOPページ

 ## 外部ライブラリの使い方

外部ライブラリを使うために、必要な作業が2つあります。1つは、外部ライブラリをインストールすること。もう1つは、その外部ライブラリをPythonから使えるようにすることです。2つめは標準ライブラリと同様に、ライブラリをimportというキーワードで読み込むだけなので、新しいのはインストール方法だけです。

インストールの方法は、外部ライブラリの提供方法によってさまざまです。外部ライブラリを開発した人が、独自に作成したライブラリの公式ホームページからダウンロードしたり、githubというサイトにソースコードと一緒にライブラリのインストール方法も含めた使い方を掲載しているパターンなどがあります。ここでは比較的わかりやすい方法である、先ほど紹介したPyPIからインストールする方法を紹介します。

 ## pipコマンドとは

外部ライブラリを探すには量が多くて大変なPyPIですが、外部ライブラリの名前がわかってさえいればかんたんにインストールできます。Python3.4以降のバージョンではpipというコマンド

が標準で用意されています。このコマンドを使うことで、先ほど紹介したPyPIのサイトからライブラリを探してきて、インストールと、Pythonから使える設定をしてくれます。なお、MacのPython3系ではpipはpip3としてインストールされているので、pip3と読み替えて実行してください。

♦ pipコマンドの使い方

pipコマンドの主な役割はインストールです。コンソール上で次のように入力し、実行してください。インタラクティブシェルがすでに起動している場合は、exit()と実行してインタラクティブシェルを終了させてから実行する必要がある点に注意が必要です。なお、モジュール名はライブラリ名、パッケージ名と同等です。 コラム「ライブラリ、パッケージ、モジュールについて」➡p.252

書式

```
pip install [インストールしたいモジュール名]
```

実行すると、指定したモジュールがPyPIから自動で検出され、インストールが始まります。

注意

「SyntaxError: invalid syntax」のようなエラーが表示されたら、Pythonのインタラクティブシェル（行頭の「>>>」が目印）で、pipを実行している可能性があります。pipは、コンソールで実行してください。Macではターミナル、Windowsではコマンドプロンプトです。

アンインストールする場合は、先ほどのinstallの部分をuninstallと置き換え、スペースに続けてアンインストールしたいモジュールを指定して実行すればOKです。

書式

```
pip uninstall [アンインストールしたいモジュール名]
```

インストールしたモジュールの詳細を知りたいときは、pipに続けてshowと打って実行します。このshowはpipコマンドのオプションの1つです。

書式

```
pip show [詳細を調べたいモジュール名]
```

例えば**6-2**で使うライブラリ「Pillow」の詳細を調べるときは、以下のように実行します。

▶ コンソールでの入力例

```
pip show Pillow

Name: Pillow
Version: 8.4.0
Summary: Python Imaging Library (Fork)
Home-page: https://python-pillow.org
Author: Alex Clark (PIL Fork Author)
Author-email: aclark@python-pillow.org
License: HPND
Location: /Users/kamatari/Library/Python/3.8/lib/python/site-packages
Requires:
Required-by:
```

バージョンによって表示結果は異なりますが、上記のような結果が表示されます。

　今までにpipでインストールしたモジュールを確認したいというときには、`list`オプションを使用します。

書式

```
pip list
```

そうすると、今までにインストールしたモジュールが一覧になって表示されます。

6-2

外部ライブラリを使った
プログラミング

Pythonで画像処理

ここから、Pythonの外部ライブラリを使ってプログラミングをしていきます。外部ライブラリを使うことで、できることが飛躍的に広がってきます。まさにここからがプログラミングの本番というところなので、ぜひ楽しみながら進めていってください。

▼ここでやること

まずは画像処理から始めましょう。「Pillow」という名前の外部ライブラリを使います。

画像処理というと、難しく感じるかもしれませんが、文字通り、画像になんらかの処理を行うことを、画像処理とまとめて呼んでいます。身近な例でいうと、Instagramのフィルターや、普段みなさんがスマートフォンで撮影した画像をきれいにする処理のことです。

ほかにも写真から人間の顔を検出したり、車に乗せたカメラから標識を認識したりするような、画像から何らかの情報を取得するために、画像処理をするケースもあります。

6-2では、プログラムから簡単なフィルタを画像にかける方法を、実際に行いながら学んでいきます。

Pillowとは

今回使うPillowというライブラリについてかんたんに説明します。PythonにはもともとPIL（Python Imaging Library）という名前の画像処理ライブラリがよく利用されていましたが、10年以上前に開発が止まっています。そのPILのコードを受け継いで有志によって開発されたのが今回のPillowというライブラリです。

▶ **Pillowの公式サイト**
　URL　https://python-pillow.org/

Pillowのインストール方法

Pillowはpipでかんたんにインストールすることができます。コンソールを開いたら次のように入力してみてください。

Console Windowsの場合

```
C:¥Users¥kamata>pip install Pillow
```

Console Macの場合

```
$ pip3 install Pillow
```

以上でインストールは完了です。続いてインストールができていることを確認します。インタラクティブシェルを起動したら、次のように入力・実行してエラーが出ないことを確認してください。

Interactive Shell

```
>>> from PIL import Image ↵
```

無事インストールが完了していれば、次のように特に何も表示されません。

 Interactive Shell

```
>>> from PIL import Image ↵
>>>
```

　ここで、importするのはPillowじゃないのかな？と思われた方がいるかもしれません。その疑問はもっともで、普通はモジュールの名前をimportして使います。しかし、このPillowは最初に説明したようにPILからの派生で生まれたライブラリで、PILとの互換性を持つように作られています。ここでいう互換性とは、PILをインストールしたパソコンで動いていたプログラムが、Pillowをインストールしたパソコンでも動くということです。Pillowが、PILを使うときのインポートの方法「from PIL import Image」をそのまま引き継いでいるので、プログラムを修正しなくても大丈夫なように作られています[1]。このPillowを使って、画像処理をいくつか試していきましょう。

Pillowが使えないエラーが表示されたら

以下のようなエラーが表示されて、Pillowが使える状態になっていない場合があります。

 Interactive Shell　　出力結果

```
>>> from PIL import Image
Traceback (most recent call last):
  File "<stdin>", line 1, in <module>
  ImportError: No module named PIL
```

　エラーが表示されたら、まずはPillowがインストールできているかどうかを確認します。すでにインストールされているライブラリの一覧を表示するpip list（pip3 list）をコマンドプロンプトで実行し、一覧の中にPillowがあるかどうかを確認してください。確認をして、リストになければ、再度インストールを実行してください。リストにあれば、実行しているPythonと、Pillowをインストールしたpipのバージョンが異なっている可能性があります。macの場合はpip3とpython3というように両方に3をつけているかを確認してください。

※1　厳密に言うと、動作が保証されているかどうかは、PillowのバージョンやPython自体のバージョンなどの組み合わせもありますので、以下ページを参照ください。
　　URL https://pillow.readthedocs.io/en/stable/installation.html

Pillowでできること

　ここからPillowでできることを紹介していきます。まず、画像処理するためのサンプル画像を準備しましょう。色の変化を見ていきますので、モノクロ画像はNGです。カラーの画像であればなんでもOKですので、お好きな画像を用意してください。本書では次のきれいな青い花の写真のjpgファイルを使って、画像処理を行っていきます。

Fig　花のサンプル画像

　これから作業する上で、画像処理を行うファイルを置いている場所と、インタラクティブシェルを起動する場所には注意が必要です。新しくsample_imageというフォルダを作り[1]、その中に画像を移動させておきましょう。インタラクティブシェルは、作成したPillow用のフォルダと同じ場所に移動してから、起動してくだい。フォルダの移動については **5-3「CUIでのパソコンの操作方法」➡p.172** を参照してください。今回はsample_imageフォルダに、`flower.jpg`ファイルを置いて実行します。

```
Console
cd C:¥ ─────────────────────────────── (Windows)
cd /Users/ユーザー名/ ──────────────────────── (Mac)

mkdir sample_image ──────────────────────── フォルダを作成
cd sample_image ──────────────────── sample_image フォルダに移動
python ───────────── インタラクティブシェルの起動(Macではpython3)
```

※1　今回の例でいうと「PIL」や「pillow」など、パッケージ名をそのまま使ったフォルダでの実行は、エラーの原因になる可能性がありますので注意しましょう。

♦ 画像をプログラムから表示してみる

　準備が整ったら、まずは画像を読み込んで、表示するだけのかんたんなプログラムを書いてみます。先ほど実行した

```
from PIL import Image
```

に続けて、次のように入力・実行してください。

 Interactive Shell

```
>>> from PIL import Image ↵
>>> image = Image.open('flower.jpg') ↵
>>> image.show() ↵
```

 解　説

　無事に画像が表示されたでしょうか？　1行目でPillowパッケージのImageモジュールを読み込みます。2行目で、今回画像処理を行う画像を読み込み、imageオブジェクトを作ります。例ではsample_imageというフォルダを作り、そこに花の画像（flower.jpg）を置いているので、flower.jpgと指定しています。imageオブジェクトを作り、showメソッドを実行すると、画像ファイルが開かれて表示されます。これからPillowで画像処理をしていきますが、基本的には、Image.openで画像ファイルを読み込んだimageオブジェクトを使って、そこからさまざまな機能を持ったメソッドを呼び出して実行します。これはファイルオブジェクトを操作するときと同じで、画像ファイルをそのまま扱うのではなく、画像ファイルのオブジェクトを介して、さまざまな処理を行います。

♦ 画像の青色と赤色を入れ替えた画像を表示する

　色の3原色という言葉を聞いたことがあるでしょうか。その中でも普段パソコンで見ている画面の色は、光の3原色というRGBカラーで表現されています。RGBは、赤（Red）、緑（Green）、青（Blue）の3つの色を指していて、私たちがパソコンで見ている色は、この3つの配合の比率で表現されているのです。

Fig　光の三原色の図

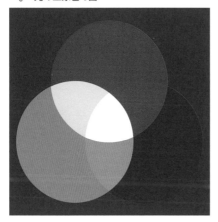

　Pillowを使うと、画像の色（RGB）を操作することができます。試しに画像の青色と赤色を入れ替えた画像を作って表示してみましょう。

Interactive Shell

```
>>> from PIL import Image ↵
>>> image = Image.open('flower.jpg') ↵
>>> red, green, blue = image.split() ↵
>>> convert_image = Image.merge("RGB", (blue, green, red)) ↵
>>> convert_image.show() ↵ ●──────────────────── 色を変換した画像が表示される
>>> convert_image.save('rgb_to_bgr.jpg'); ↵ ●──────────────── 保存
```

Fig　元の画像

Fig　変換した画像

3行目で使ったメソッドsplit()には、画像の色(赤、緑、青)を分離させる機能があります。その分離した結果が変数redとgreenとblueにそれぞれ入っています。そして、mergeメソッドを使って、一度分離させた色の要素を、再度合成して画像を生成します。ここがポイントなのですが、mergeメソッドの第2引数に(blue,green,red)という順番で渡しています。本来は、red、green、blueという順番で渡すところに、redとblueを入れ替えることで、画像の青色と赤色を入れ替える処理をしているのです。そして、5行目でshowメソッドを使い、パソコンに画像を表示しています。赤色と青色が交換されて表示されれば成功です。最後の6行目は、赤と青を変換した画像を、実際にファイルに保存する処理です。画像を開くときと同様に、ファイル名を引数に渡してください。

◆ 画像を白黒画像/グレースケール画像に変換する

ここではPillowのconvertメソッドを使って、2種類の画像を生成していきます。1つ目は、画像を白と黒の2つの色だけで表現する方法です。

Interactive Shell

```
>>> from PIL import Image ↵
>>> image = Image.open('flower.jpg') ↵
>>> black_and_white = image.convert('1') ↵ ●──────────── 数字の1
>>> black_and_white.show() ↵
>>> black_and_white.save('b_and_w.jpg') ↵
```

Fig 白黒の画像

白黒の画像が表示されたでしょうか。ここでこの画像を拡大できるだけ拡大してみると、この画像が、白の四角と黒の四角のみで表現されていることがわかると思います。

Fig　画像の一部を拡大したところ

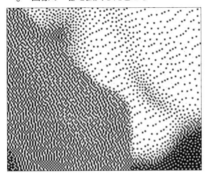

続いてグレースケール画像を生成していきます。グレースケールとは、画像を白から黒までの明暗だけで表現する方法です。先ほどの画像は、完全に黒と白でしたが、今度は画像の輝度とよばれる明るさを元に濃淡のあるグレーで画像を表しています。

Interactive Shell

```
>>> from PIL import Image
>>> image = Image.open('flower.jpg')
>>> gray_image = image.convert('L')
>>> gray_image.show()  ──────────────── グレースケールの画像が表示される
>>> gray_image.save('gray_image.jpg')  ──────────────── 保存
```

Fig　グレースケールの画像

この画像を拡大してみると、先ほどのような白と黒の粒の集まりではなく、濃淡のあるグレーで表現されているのがわかります。ちなみにこの濃淡の度合いは、先ほど説明したRGBから計算されています。RGBのそれぞれの強さは(0~255)の数値で表わすのですが、その数値を元に次の比率の計算をすることで、人間が感じている明るさ(色味)を「輝度」という数値で表しています。

▶ 参考　グレースケールの明るさの算出方法

L(グレースケールの明るさ) = R(赤) * 0.299 + G(緑) * 0.587 + B(青) * 0.114

convertメソッドは、この計算式をもとに色を変換しているのです。

◆ 画像を回転させる

Pillowモジュールのtransposeメソッドを使うことで、画像をかんたんに回転させることができます。

Interactive Shell

```
>>> from PIL import Image
>>> image = Image.open('flower.jpg')
>>> image.transpose(Image.ROTATE_90).show()              ── 90度回転させて表示
>>> image.transpose(Image.ROTATE_90).save('rotate_90.jpg')  ── 90度回転させて保存
```

Fig　90度回転した画像

解 説

　今までと同様に、imageオブジェクトのメソッドを実行するのですが、今回はその後ろにshowメソッドも. (ドット) でつなげて使っています。こうすることで画像を変換するのと、画像を表示するという2つのことが1行のプログラムで処理できます。少ないタイピング量で多くの処理が実行できるので、慣れてきたらこの方法を活用してください。ここでは、transposeメソッドに、Image.ROTATE_90という引数を渡しましたが、他にも次の表にまとめた引数を渡すことで、他の変換方法も試すことができます。

Table　他の変換方法

設定パラメータ	効果
Image.FLIP_LEFT_RIGHT	画像の左右を反転させる
Image.FLIP_TOP_BOTTOM	画像の上下を反転させる
Image.ROTATE_90	画像を90度回転させる
Image.ROTATE_180	画像を180度回転させる
Image.ROTATE_270	画像を270度回転させる

※回転は時間回りです。

6-3 外部ライブラリを使った プログラミング

Pythonでインターネットにアクセス

普段、皆さんはインターネットに接続してWebサイトを閲覧する際にはChromeや、Firefox、Safari、Edgeといった、Webブラウザを使ってアクセスしているのではないかと思います。今回挑戦するのは、そのようなWebブラウザを使わず、Pythonを使ってインターネットにアクセスする方法です。

Python でインターネットにアクセスする方法はいくつかありますが、今回は「requests」というう外部ライブラリを使ったインターネットアクセスを試していきます。そのため、ここでの実行は必ずパソコンをインターネットにつなげた状態で試すようにしてください。

 requestsとは

今回は「requests」というライブラリをメインに紹介していきます。requestsには「Python HTTP for Humans」というキャッチコピーがあって、直訳すると「人のためのPython HTTP」です。「かんたんにインターネットとのアクセスを行うためのモジュール」という意味です。

▶ requests
URL http://requests-docs-ja.readthedocs.org/en/latest/

コマンドプロンプトから、pipを利用してインストールするところから始めましょう。いつもの通り、Macの方はpip3です。

 Console

```
$ pip install requests
```

インストールが完了したら、まずは一番基本的なことからやってみます。URLにアクセスし、そのページに表示されているデータをプログラムで取得します。インタラクティブシェルを起動して次のプログラムを入力・実行してください。

```
>>> import requests ↵
>>> r = requests.get('https://www.yahoo.co.jp') ↵
>>> print(r.text) ↵
```

解 説

　成功すると、よくわからないテキストがズラリと表示されたのではないでしょうか？　順番に説明していきます。1行目で今回紹介しているrequestsを読み込み、2行目でgetメソッドを使い、Yahoo! JAPANのホームページの情報を取得し、変数rにデータを保持しています。その後にtextメソッドを使うと、取得したデータを表示することができます。はじめて実行された方は驚いたかもしれませんが、かなりの量のテキストが画面に流れたのではないでしょうか。ここでこのような大量のデータを見やすく表示する標準モジュールpprint(pretty print)を使って、形を整えてみましょう。

Interactive Shell

```
>>> import requests ↵
>>> import pprint ↵
>>> r = requests.get('https://www.yahoo.co.jp') ↵
>>> pprint.pprint(r.text) ↵
('<!DOCTYPE HTML PUBLIC "-//W3C//DTD HTML 4.01 Transitional//EN" '
…省略
 '<meta name="description" '
 'content="日本最大級のポータルサイト。検索、オークション、ニュース、メール、コミュニティ、ショッ
        ピング、など80以上のサービスを展開。あなたの生活をより豊かにする「ライフ・エンジン」を目指し
        ていきます。">¥n'
 '<meta name="robots" content="noodp">¥n'
 '<title>Yahoo! JAPAN</title>¥n'
 .
 .
 .
```

　pprintモジュールを読み込み、pprintメソッドを使ってr.textを表示したところです。改行されて少し見やすくなったかもしれません。ただやはり、依然として見慣れない英単語などが日本語に混ざっていることで、普段ブラウザで表示しているページとはだいぶ違いますね。この日本語に混ざって記述されている英単語は、HTMLと呼ばれる言語です。ちなみに、ブラウザで、https://www.yahoo.co.jpへアクセスし、右クリックで**ページのソースを表示**を選択すると、

同じようにHTMLで書かれたWebサイトを見ることができます。

よくある間違い

requestsモジュールを使うときに、requestsの最後のsを忘れてしまうことがよくあります。次のようなエラー「そんな名前のものは見つかりません」が表示されたら、一度確認してみてください。

▶ タイプミス（打ち間違え）で表示されるエラー

```
NameError: name 'request' is not defined
```

requestsを使ってWeb APIにアクセス

◆ HTMLとは

HTMLとは、Hyper Text Markup Languageの略で、皆さんが普段使っているブラウザ（Chrome、SafariやEdgeなど）で、Webサイトを表示するときに、ほぼ必ず使われています。ブラウザはHTMLの内容を解釈して、Webページを表示してくれています。

例えば、一定の量の文章をフォントサイズの変更や改行をせずに書いていくと、見づらくなってきますよね。その文章を意味がわかるように整理するとき、私達は文章にタイトルをつけ、フォントサイズを変えたり、小見出しをつけて段落に分けたり、箇条書きにすると思います。Wordのようなアプリ上であれば、フォントサイズを変更するなどの操作を行いますが、インターネット上の文章に対して、「ここは段落だ」というような設定を行う共通規格が、ここで紹介しているHTMLです。

簡単にまとめたのが以下の図です。

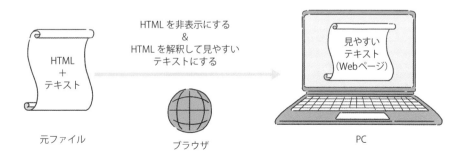

ブラウザで表示するためのWebサイトにrequestsモジュールを使ってアクセスして、HTMLも含めたWebサイトのデータを取得する例を紹介しました。ここからは、プログラムでアクセスするためのWeb APIというものを使うことで、先ほどと比べてわかりやすいデータを取得する方法を紹介していきます。

♦ Web APIとは

Web APIの前に、まずはAPIから説明します。APIはApplication Programming Interfaceの略で、いわばさまざまな機能の窓口のようなものです。例えるならAPIは、ファミリーレストランのウェイターのようなものです。皆さんはファミレスに行ったときに、コックさんに直接料理を注文しないですよね。それと同じで、いろいろなデータや機能を使うためには、それに応じたルールや使い方があるので、APIを通すことで正しく使うことが出来るのです。

▶ **お客さんは、ウェイターを通してのみ、料理の注文や料理の提供を受けることができる**

▶ **利用者は、APIを通してのみ、リクエストをしたり、サービス側からデータや機能の提供を受けることができる**

Web APIは、Web（インターネット）を通じて使うことができるAPIのことで、主にWebサービスを運用している会社または個人が提供しています。Web APIには、Webサービスが持っているデータを取得・更新したりするものもあれば、自分で作ることが難しいような機能を提供しているものもあります。

データを取得したり更新できるWeb APIの中でも、有名なのは「Twitter」(https://twitter.com/)のWeb APIです。普段、Twitterを使うためには、ブラウザからTwitterのサイトへ行ったり、スマートフォンのアプリから利用したりしていると思いますが、TwitterのWeb APIを使うことで、プログラムからTwitterへ投稿したり、他の人の投稿を閲覧することができるのです。[1]

※1　Twitterの開発者向けサイト（英語）
　　　URL https://developer.twitter.com/

Web API自体の説明はこのあたりにして、実際にrequestsモジュールを使ってプログラムからAPIを使う方法を学んでいきましょう。

 requestsをつかったAPIへのアクセス方法（郵便番号編）

最初は、郵便番号から住所を取得するWeb APIに挑戦します。利用するのは株式会社アイビスが提供している zipcloud というサービスの「郵便番号検索API」です。

▶ zipcloud
URL https://zipcloud.ibsnet.co.jp/

Fig　zipcloud

▶ 郵便番号検索API
URL https://zipcloud.ibsnet.co.jp/doc/api

この郵便番号検索APIは、日本郵便が公開しているデータを元に、郵便番号の検索ができるAPIです。細かい仕様はWebサイトに記載がありますが、まずは1回使ってみて雰囲気をつかみましょう。今回は郵便番号のサンプルとして、'160-0021'をプログラムで使っていますが、皆さんはご自宅や学校、勤務先の郵便番号など好きな番号を使って、取得できる結果を確認してみてください。

requestsライブラリでリクエストを送るプログラムは以下のようになります。好きな郵便番号を変数zipcodeに入れて試してみてください。

```
>>> import requests
>>> base_url = 'https://zipcloud.ibsnet.co.jp/api/search'
>>> query_parameter = '?zipcode='
>>> zipcode = '1600021'
>>> request_url = base_url + query_parameter + zipcode
>>> request_url
'https://zipcloud.ibsnet.co.jp/api/search?zipcode=1600021'
>>> requests.get(request_url).json()
{'message': None, 'results': [{'address1': '東京都', 'address2': '新宿区',
        'address3': '歌舞伎町', 'kana1': 'ﾄｳｷｮｳﾄ', 'kana2': 'ｼﾝｼﾞｭｸｸ', 'kana3':
        'ｶﾌﾞｷﾁｮｳ', 'prefcode': '13', 'zipcode': '1600021'}], 'status': 200}
```

解 説

　この短いプログラムで、'1060021'という郵便番号から、'東京都 新宿区 歌舞伎町'の住所を取得することができました。3行目の変数名にしているquery_parameter（クエリパラメータ）というのは、URLの末尾に「?」と、「xxx = yyyy」という形式で、データを付与すると、その値をアクセス先のサーバーに伝えることができるというものです。

　4行目のzipcodeは、英語で郵便番号という意味になります。5行目で、今回のURLを結合し、6行目でその結果を表示しています。最終的にどのような文字列になっているかを目視で確認するためです。

　最後の8行目のプログラムでは、importしたrequestsを使ってアクセスしたあと、返ってきたデータのjson形式で表示されている部分を表示しています。json()メソッドは、json形式で返ってきたデータを扱いやすいように、辞書型に変換してくれています。

　実は今回利用した郵便番号のAPI以外にも、企業や個人が郵便番号から住所を調べることができるAPIを作成し公開しています。なぜ、このようなAPIが存在するのかというと、例えばECサイトで商品の配送先の住所を入力する時などに使われています。フォームに郵便番号を入力すると、住所を自動で補完してくれる便利な機能に気づいたことがある方もいるかもしれません。他にも、でたらめな郵便番号が入力されていないかのチェックに使われたりなど、様々な需要があります。

JSONとは

JSON（ジェイソン）とは、データのフォーマットの名前です。JSONは、「JavaScript Object Notation」の略で、JavaScriptというプログラミング言語の仕様をベースに作られました。ベースとなった言語はJavaScriptですが、今Pythonを通して使っているように、さまざまなプログラミング言語がJSON形式を扱うことができます。そういった特徴から、異なるプログラミング言語間や異なるシステムの間で、データをやりとりする時（今回のWebAPI利用時など）に、よく利用されています。JSONの基本的な型は以下のようになっており、Pythonの辞書型（→p.70）と似たものと考えてください。

▶ JSONの基本型

```
{"key": "value"}
```

 requestsを使ったAPIへのアクセス方法（Wikipedia編）

requestsを使って、Wikipediaの情報にWeb APIでアクセスする方法を紹介します。Wikipediaはオンラインの百科事典で、非常に多くのジャンルにわたって記事があり、その数は今も増え続けています。世界のアクセス数ランキングでも10位以内に入る、世界的に有名なサイトです。

▶ Wikipedia
　URL　https://ja.wikipedia.org/

このWikipediaにプログラムからアクセスするために、MediaWikiというサービスを使ってみましょう。

▶ MediaWikiのメインページ（日本語）
　URL　https://www.mediawiki.org/wiki/MediaWiki/ja

Webサイトを確認すると、MediaWikiはWeb API以外にもサービスがありますが、今回はWikipediaにアクセスするためのAPIとその使い方を紹介します。

▶ MediaWikiのAPIについて
　URL　https://www.mediawiki.org/wiki/API:Main_page/ja

まずAPIにアクセスするためのベースのURLを確認します。

```
https://ja.wikipedia.org/w/api.php
```

このURLに対して、いくつかの項目をつなげてrequests.getを使うことでWikipediaから情報を取得することができます。なお、このベースのURLにブラウザからアクセスすると、APIの簡易的な使い方を記載しているページが表示されます。興味のある方は確認してみてください。

♦ Wikipediaの情報を取得する

それではさっそく、MediaWikiのWeb APIを利用してWikipediaの記事を取得するプログラムを書いてみます。

 Interactive Shell

```
>>> import requests, pprint
>>> api_url = 'https://ja.wikipedia.org/w/api.php'
>>> api_params = {'format':'json', 'action':'query', 'titles':'ブラジリアン柔
        術', 'prop':'revisions', 'rvprop':'content'}
>>> wiki_data = requests.get(api_url, params=api_params).json()
>>> pprint.pprint(wiki_data)
```

 解 説

1行目でインターネットにアクセスするためにrequestsライブラリと、取得したデータを見やすく表示するためのpprintライブラリをimportしています。2行目が今回のWikipediaのAPIのベースのURLです。3行目で、さまざまなパラメータ（後述）をセットして、取得するデータの形式や内容を設定しています。一つだけ説明しておくと、検索したいキーワードは、titlesのあとに指定します。'ブラジリアン柔術'のところを、好きなキーワードに指定すると、そのページが存在すれば、Wikipediaで検索したのと同じ結果を取得することができます。

ページによって多少は違いますが、かなりの量のテキストが表示され驚いた方もいるのではないでしょうか。気軽に使うには少し使いづらいですね。この後、もっと簡単な方法（➡p.226）を紹介します。

♦ MediaWiki APIのパラメータについて

今回のプログラムの3行目で指定していたパラメータについて、すこしだけ説明しますが、このあと別の方法でWikipediaのデータを簡単に取得できる方法を紹介するので、ここではなんとなく存在を知っておくレベルで問題ありません。

今回のパラメータは、次の5つでした。

1. format = json
2. action = query
3. titles = ブラジリアン柔術
4. prop = revisions
5. rvprop = content

上から順番に紹介します。

① formatは、どのような形式でデータを取得したいかを指定することができるパラメータです。ここではJSON形式を指定しています
② actionは、このAPIで何をするか指定しています
③ titlesは、調べたいキーワードを指定します
④ propは、どのプロパティを取得するかを指定します
⑤ rvpropは、propで指定した項目をさらに細かく指定します

　それぞれどのような項目を設定できるのか、詳細が気になる方はこちらのページから確認してみてください。パラメータそれぞれに、かなりの種類の選択肢があり、どのような時にそれが利用されているのか、筆者も把握しきれていません。

▶ actionに指定できるもの
URL https://ja.wikipedia.org/w/api.php

▶ actionで「query」を指定したときにpropに指定できるもの
URL https://ja.wikipedia.org/w/api.php?action=help&modules=query

▶ propでrevisionsを指定したときにrvpropに指定できるもの
URL https://ja.wikipedia.org/w/api.php?action=help&modules=query+revisions

上達のポイント　〜Pythonからブラウザを開く〜

　MediaWikiの仕様はかなり細かい設定ができると同時に複雑なため、WEB上のリファレンスのURLをいくつか記載しました。Python使いである皆さんは、これらを参照しようというときに、ブラウザをマウスでクリックして起動するのとは別のスマートなやり方があります。Pythonには標準でwebbrowserというモジュールが用意されています。webbrowserモジュールをimportして、openメソッドに開きたいURLを渡して実行するとブラウザを起動して、指定したURLを開いてくれます。

 Interactive Shell

```
>>> import webbrowser ↵
>>> url = 'https://ja.wikipedia.org/w/api.php' ↵
>>> webbrowser.open(url) ↵
True
```

 ## Wikipediaの情報を簡単に取得する（外部ライブラリの利用）

　Wikipediaの記事を、requestsライブラリを使ってプログラムから取得する方法を学びましたが、想像以上に大変だったのではないでしょうか。調べたい項目を入れて、簡単な概要だけもっと簡単に取得できたらいいなと思いませんか？実はそんなみなさんと同じ気持ちを持った人が作成したライブラリがあります。

　その名もwikipediaという名前のライブラリです。

▶ python libraryの wikipedia公式ページ
　URL　https://pypi.org/project/wikipedia/

　まずはpipでinstallしてみましょう。

 Console　　　Windowsの場合

```
C:¥Users¥kamata>pip install wikipedia
```

 Console　　　Macの場合

```
$ pip3 install wikipedia
```

このwikipediaライブラリを利用して、wikipediaの情報を取得するプログラムを書くと次のようになります。

Interactive Shell

```
>>> import wikipedia
>>> wikipedia.set_lang('ja')                                          日本語（japan）を設定
>>> wikipedia.summary('ブラジリアン柔術')
'ブラジリアン柔術(ブラジリアンじゅうじゅつ、英：Brazilian jiu-jitsu、略称BJJ、葡：jiu-
    jitsu brasileiro)は、グレイシー柔術から発展したブラジルの格闘技。ブラジルに移民した
    日本人柔道家・前田光世が自らのプロレスラーなどとの戦いから修得した技術や柔道または柔術の技
    術をカロス・グレイシー、ジュルジ・グレイシーなどに伝え、彼らが改変してできあがった。・・・
    (略)・・・
```

わずか3行で、指定したキーワードの概要をかんたんに取得できました。もし本文の詳しい情報が必要であれば、次のようになります。

Interactive Shell

```
>>> import wikipedia, pprint
>>> wikipedia.set_lang('ja')
>>> search_page = wikipedia.page('ブラジリアン柔術')
>>> pprint.pprint(search_page.content)
```

解　説

ライブラリwikipediaのpageメソッドを使って、ブラジリアン柔術についてのデータを取得し、変数search_pageに格納しました。コンソール上でもきれいに見えるように、pprintを使い、search_pageのcontentを表示することで、検索した結果の本文を表示することができたと思います。

外部ライブラリのwikipediaの便利さを感じていただけと思いますが、実はこの外部ライブラリwikipediaも、冒頭で紹介したMediawikiのAPIを内部で利用しているのです。かなり細かく詳細な設定項目を持つMediawikiのAPIでしたが、簡単に利用するには少しハードルがありました。そんな複雑な部分を単純化して使いやすくしているのが、今回の外部ライブラリのwikipediaです。

◆ wikipediaライブラリを使った応用編

外部ライブラリを使って簡単に情報を取得できるようになりましたが、何か調べたいことがあったときに、もっと簡単に素早く結果を得られるようにしていきたいと思います。調べるたびに入力が必要だったプログラムの部分をファイルにして、必要な時に呼び出して利用するということをします。

今までは、4段階の手順でした。

1 コマンドプロンプトを起動
2 インタラクティブシェルを起動
3 プログラムを入力（3, 4行）
4 結果を取得

今回は、3段階でかつ、1行の入力で結果を取得できるようにします。

1 コマンドプロンプトを起動
2 ファイルからプログラムを実行（1行）
3 結果を取得

まずは、次のプログラムをファイルに書き込んで保存してください。

Text　　　　　　　　　　　　　　　　　　　　　　　　　⬇ wiki_sample.py `py`

```python
import wikipedia
wikipedia.set_lang('ja')
summary = wikipedia.summary('ブラジリアン柔術', sentences=1)
print(summary)
```

3行目のsummaryメソッドに、2つめの引数 sentences=1を追加しています。この数字は、表示したい文章の数を表しています。今回は「1」を設定して、1文だけ表示してみます[1]。

Console

```
$ python wiki_sample.py
ブラジリアン柔術(ブラジリアンじゅうじゅつ、英: Brazilian jiu-jitsu、略称BJJ、葡: jiu-
    jitsu brasileiro)は、グレイシー柔術から発展したブラジルの格闘技。
```

※1　wiki_sample.py を保存したフォルダで実行すること。　**5-3「CUIでのパソコンの操作方法」➡p.172**

無事に表示できました。もう「ブラジリアン柔術」についてはよく分かったので、好きなキーワードを調べたいと感じていると思います。ファイルの「ブラジリアン柔術」を別のキーワードに書き換えれば調べられますが、もっと使い勝手の良い方法を紹介します。

　以下のように、調べたいキーワードをプログラム実行時に入力すれば、調べられるようにしましょう。

```
$ python プログラムファイル 調べたいキーワード
```

　そのために必要なのが、ファイルの外から入力ができるプログラムを書く方法です。

◆ プログラムにファイルの外部から、データを渡す方法

　pythonでは、標準ライブラリsysを使うことで、ファイルの中で使うデータをファイルの外から渡すことができます。次のプログラムをファイルに書いて保存してください。

 Text　　　　　　　　　　　　　　　　　　　　　　　　　⬇ try_sys.py py

```python
import sys
print('sys.argv[0]: '+ sys.argv[0])
print('sys.argv[1]: '+ sys.argv[1])
```

　pythonとファイル名の後にスペースをあけて、何かテキストを一緒に入力するのを忘れずに実行してみてください。

 Console

```
$ python try_sys.py 調べたいキーワード
sys.argv[0]: try_sys.py
sys.argv[1]: 調べたいキーワード
```

 解 説

　このプログラムでは、標準ライブラリのsysを読み込み、sys.argvというリスト型のオブジェクトをprintで表示しています。出力されたデータを見ることで、何が行われているか想像ができると思いますが、sys.argv[0]に、実行したファイル名が、sys.argv[1]にファイル名の後に入力したテキストが格納されています。なお、一つ以上のデータをプログラムに渡したい場合は、データごとにスペースをあけ、続けて入力していくと、そのままリストの2番、3番、4番と、

順にsys.argvに格納されていきます。リストの2番以降が格納されているか確認したい方は、try_sys.pyのファイルを手直ししてください。

♦ wikipedia プログラムの仕上げ

ここまで紹介してきた外部ライブラリwikipediaと、標準ライブラリsysを組み合わせて、プログラム完成させていきます。

 Text search_wiki.py `py`

```python
import wikipedia, sys
wikipedia.set_lang('ja')
summary = wikipedia.summary(sys.argv[1], sentences=1)
print(summary)
```

Console

```
$ python search_wiki.py 調べたいキーワード
```

 解 説

1行目で、wikipediaとsysをimportし、2行目でwikipediaの言語設定を日本語にしています。3行目で、sys.argv[1]をwikipediaライブラリに設定して、結果を取得し、表示するという流れになります。

♦ このプログラムで発生する可能性のある主なエラーについて

1. IndexError: list index out of range

プログラムを実行する時に、キーワードを渡す前提のプログラムになっているので、例えば、以下のように実行すると

```
$python search_wiki.py
```

プログラムに書いているsys.argv[1]が存在しないので、エラーになります。

2. wikipedia.exceptions.PageError: Page id "キーワード" does not match any pages. Try another id!

入力したキーワードのページがwikipediaに存在しなかった場合このようなエラーが発生します。キーワードを変えてプログラムを実行してみてください。

Web APIを使う上での注意点

requestsモジュールを使うことで、Webサイトに表示されているデータを取得したり、Web APIという仕組みを使ってデータを取得する方法を学んできました。ここでは注意すべきポイントをいくつか紹介します。

♦ Web APIは変わっていく

無償のWeb APIの場合、私たち利用者の知らない間に仕様が変更されることがあります。それによって、今まで問題なく使えていたWeb APIが突然使えなくなることも少なくありません。また、Web APIのサービス自体が終了になり、便利だったWeb APIが全く使えなくなってしまうようなこともしばしばあります。これは残念ですが仕方のないことで、Web APIを提供している会社がなぜ無償でWeb APIを提供しているかというと、自社のサービスをより使ってもらうためであったり、自社のサービスの認知度を上げるためです。そういった目的を達成し続けないことには、Web APIサービスの提供を続けていくのも難しいことのようです。一方で、仕様の変更が行われる場合には、新しい仕様についてのドキュメントが必ず用意されます。突然使えなくなったときには、公開されたドキュメントをよく確認して、何が変更になったのかを把握し、プログラムを修正することで対処できます。

♦ Web APIの使い過ぎに注意

皆さんは「DoS攻撃」あるいは「F5アタック」という言葉をご存知でしょうか。簡単に説明すると、この2つはWebサイトに非常に多くの回数のアクセスを行い、大きな負荷をかけることで、サーバーが通常の処理を行えないようにする攻撃です。そうなると、Webサイトを表示できなくなり、そのサイトを閲覧したいユーザーや、サイトの運営者が困ることになります。

なぜこの話題を出したかというと、Web APIに対して、プログラムで多くのアクセスを送ると、私たちWeb APIの利用者にそのつもりがなくてもDoS攻撃をしているのと同じことになってしまうからです。そのため、Web APIによっては、使用できる時間単位の回数が決まっているものもありますし、そもそも使用自体が有料で、利用回数に応じて料金が変わるものもあります。

今回紹介した2つのAPI「zipcloud」と「Wikipedia」は、無料で、かつ利用制限は特に明記されていません[1]。このようなWeb APIは特に、アクセスし過ぎないように注意しましょう。「このラインを守っていれば大丈夫」という基準はありませんが、多くても10秒に1回くらいを目安にしておくとよいでしょう。

---

[1] Wikipediaのリクエスト上限
　　 URL https://www.mediawiki.org/wiki/API:Etiquette/ja

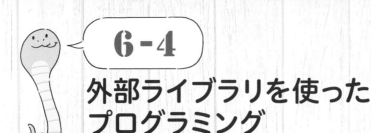

6-4 外部ライブラリを使った プログラミング

Pythonで情報収集

ここでは、Pythonでインターネットのサイトから情報を収集する方法を紹介します。Webサイトから情報を収集するには「**クローリング**」と「**スクレイピング**」をして情報を取得します。

 ## クローリングとスクレイピング

　クローリングとは、Webサイトからそのままの情報を取得してくることで、地面に腹ばいで這うという動きを意味するcrawl（クロール）から来ています。

　スクレイピングとは、クローリングして集めてきたデータから必要なものだけを抽出したり、成形したりするような処理を指します。scrape（スクレープ）は「けずって剥がす」というような意味の言葉です。クローリングとスクレイピングの関係は、漁に例えることができます。目的の魚の群れに向かって、網を投げてごそっと魚を捕まえるのが、クローリング。まとめて捕まえた魚から、食べられる魚だけを選び、その魚をさばいてお刺身にする作業がスクレイピングになります。

　たとえば、requestsライブラリを初めて紹介したときには「Yahoo! Japan」のデータを取得してきました（→p.218）。このとき取得してきたデータは、HTMLという形式の、私たちがブラウザで普段見ているデータです。このデータを取ってくるのが、クローリングと呼ばれている作業です。そして、取得してきたHTML形式のファイルの中から、HTMLの**タグ**と呼ばれる<html></html>のような記号と文字を頼りに必要な情報を抜き出していくのが、スクレイピングです。

クローリング　　　　　　　　スクレイピング

BeautifulSoup4 とは

BeautifulSoup4とは、スクレイピングをするためのモジュールです。「ビューティフルスープ」という一風変わった名前は、いろいろなHTMLタグやその他のものから構成されるWebページを「ごった煮」のようなスープに例えているようです。HTMLタグは基本的には\<html>\</html>のように始まりのタグと終わりのタグで対になっているものなのですが、インターネット上には閉じ忘れられていたりする例がよくあります。BeautifulSoup4を使うと、そのような閉じ忘れのタグなどもキチンと閉じて処理してくれます。このように、Web上の雑多な材料が混ざった液体を、余分なものを削ったり、足りない味を補完して、おいしいビューティフルなスープにするというのが名前の由来かもしれません。

▶ **BeautifulSoup4 公式サイト**
`URL` http://www.crummy.com/software/BeautifulSoup/bs4/doc/

 ## BeautifulSoup4のインストール

BeautifulSoup4も今までと同様に`pip`コマンド（Macでは`pip3`）でインストールできます。

 Console

```
$ pip install beautifulsoup4 ↵
```

次に、インストールができているかどうかを確認します。大文字と小文字の違いに気をつけてください。そして次のプログラムをインタラクティブシェルに入力して、問題なく`import`できることを確認してください。このとき、BeautifulとSoupの間にスペースを入れたり、大文字を小文字

にしたりするとエラーになりますので注意が必要です。

 Interactive Shell

```
>>> from bs4 import BeautifulSoup ↵
>>> soup = BeautifulSoup("<html> Lollipop </html>", "html.parser") ↵
```

　特にエラーが出なければOKです。これで、BeautifulSoup4を使うための準備ができました。2行目、1つ目の引数には、解析対象のhtmlを渡します。今回は動作確認なので、適当に<html>タグで意味のないテキストを囲んだものを置いています。2行目、2つ目の引数にある「html. parser」というのは、htmlを読み解くために使うプログラムを指定しています。html.parser はPythonに標準で入っています。

 ## BeautifulSoup4でスクレイピングに挑戦

　まずはBeautifulSoup4の基本的な使い方を紹介します。

 Interactive Shell

```
>>> import requests ↵
>>> from bs4 import BeautifulSoup ↵
>>> html_data = requests.get('https://www.yahoo.co.jp/') ↵
>>> soup = BeautifulSoup(html_data.text,"html.parser") ↵
>>> soup.title ↵
<title>Yahoo! JAPAN</title>
```

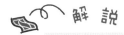 解 説

　まず簡単にながれを説明します。Yahooのトップページの情報をrequestsライブラリを利用して取得し、BeautifulSoupライブラリを利用して解析し、取得したページのタイトルを表示しています。

　次にプログラムの解説です。まず1行目と2行目で必要なライブラリであるrequestsとBeautifulSoupを利用できるようにします。3行目では、requests.getを使いYahoo! JAPANのページのデータを取得し、データを変数html_dataに格納しています。4行目で、BeautifulSoupのhtml.parserを使い、3行目で取得したデータのテキスト部分html_data.

textを解析した結果を、変数soupに格納しています。最後に変数soup（解析済のhtml_data）の中のタイトルを、soup.titleで表示しています。なお、ここで言うタイトルというのは、htmlのデータの中で、<title></title>タグに囲われて記述されている部分です。

クローリングやスクレイピングはどう使われているの？

みなさんは、旅行先で宿泊する宿をインターネットで探して選んだことがあるでしょうか？あるいは欲しい家電が少しでも安く購入できるサイトを探したことはありますか？そういった経験がある人は、ランキング形式や、条件によって絞り込める画面で、情報を一覧を表示してくれる便利なサイトを利用したことがあると思います。そういったサイトでは、クローリングやスクレイピングを使って、多くの場所に分散したデータを集めてきて、自社のサイトにまとめていることがあります。（※全てのサイトがクローリングを行っている訳ではないです。）

他にも、病院やヘアサロンなどの口コミや情報だったり、不動産の情報、飲食店のメニューなど、さまざまなサイトに散らばっている情報をまとめて比較したい需要があるジャンルには、クローリングやスクレイピングが幅広く利用されているのです。

 ## ニュースのRSSをスクレイピング

この節では、BeautifulSoup4を使ったスクレイピングの第一歩として、プログラムを使って、RSSからニュース記事のタイトルを抽出してみましょう。SBクリエイティブ社が運営している、ビジネスとITのニュースサイト「ビジネス+IT」のRSSを利用してスクレイピングの方法を紹介します。

Fig　ビジネス+IT

　プログラム作成に取り組む前に「RSSとは何か？」について解説します。RSSとは、Webサイトの更新情報（日付やタイトルなど）を配信するための仕様です。多くの人が閲覧しているような人気サイトで、更新が頻繁にあるようなサイトでは、RSSを提供していることが多いです。配信されているサイトには次のようなRSSのアイコンが設置されているので、今までRSSを知らなかった方でも、RSSのアイコンは見かけたことがあるかもしれません。

Fig　RSSのアイコン

　次に、RSSの利用方法の説明です。本書ではスクレイピングで更新情報を取得しますが、一般的にRSSは、RSSリーダーと呼ばれるツールに、WebサイトのRSSを登録して使います。サイトの更新情報はRSSリーダー上で一覧にまとめられて、一度で確認することができます。最近ではTwitterなどの新しいwebサービスが流行し、更新情報もTwitterの公式アカウントなどをフォローすることで受け取る人たちが増えているので、かつてほど利用している人は多くないですが、今でも一定のユーザーからの根強い支持があります。ひとまず今回は「RSSとは、Webサイトの更新情報が、プログラムから扱いやすい形式でまとまっているもの」と理解しておけば大丈夫です。

▶ RSSの代表的な例

+ Yahoo!ニュース

`URL` https://news.yahoo.co.jp/rss

+ NHK ニュース

`URL` https://www.nhk.or.jp/toppage/rss/index.html

それでは、今回利用するRSSをまずはブラウザから確認してみましょう。

▶ ビジネス+IT RSSフィード

`URL` https://www.sbbit.jp/article/info/feed

Fig　ビジネス+IT RSS フィード ブラウザ表示

この中から「最新ニュース」のボタンをクリックすると、XMLという形式で表記されたページが
表示されます。

```
This XML file does not appear to have any style information associated with it. The document tree is shown below.

▼<rss version="2.0">
 ▼<channel>
    <title>ビジネス+IT 最新ニュース</title>
    <link>https://www.sbbit.jp</link>
    <description>ビジネス+IT 最新ニュース</description>
    <copyright>Copyright(c) SB Creative Corp. All rights reserved.</copyright>
    <pubDate>Mon, 12 Jul 2021 14:47:00 +0900</pubDate>
    <lastBuildDate>Mon, 27 Dec 2021 15:57:03 +0900</lastBuildDate>
    <generator>rssgen 1.0</generator>
    <ttl>60</ttl>
  ▼<item>
     <title>国内ITベンダーの売上ランキング2021年版、1位は富士通、アクセンチュアは2桁増</title>
     <link>https://www.sbbit.jp/article/cont1/23789</link>
     <description>IDC Japanが2021年7月12日に発表した国内ITサービス市場のベンダー売上ランキングによると、上位5社は、1位から順に、富士通、NTTデータ、
     日立製作所、NEC、IBMとなった。NTTデータが、3位から2位に順位を上げた。2020年の国内ITサービス市場は前年比2.8%減の5兆6,834億円となった。
     </description>
     <pubDate>Mon, 12 Jul 2021 14:47:00 +0900</pubDate>
  </item>
  ▼<item>
     <title>【独自】USEN、新決済サービス「Uペイ」を展開か</title>
     <link>https://www.sbbit.jp/article/cont1/36390</link>
     <description>音楽サービスなどを手掛けるUSEN-NEXT HOLDINGS(以下、USEN)が独自の決済サービス「Uペイ」を検討していることがわかった。店舗などで利用
     されることが多い、75万件超のUSENサービス利用者に対して同サービスを展開する可能性がある。</description>
     <pubDate>Thu, 09 May 2019 12:22:00 +0900</pubDate>
  </item>
  ▼<item>
     <title>PayPayの100億円キャンペーンが正式に終了、開始からわずか10日間</title>
     <link>https://www.sbbit.jp/article/cont1/35832</link>
     <description>PayPayは13日、2018年12月4日に開始した「100億円あげちゃうキャンペーン」について、還元額が上限の100億円相当に達したと発表した。キャ
     ンペーン開始からわずか10日間で終了することになった。</description>
     <pubDate>Thu, 13 Dec 2018 22:12:00 +0900</pubDate>
  </item>
```

XMLというのは、HTMLのようにタグ（<title>や<link>など）を使って、データをコンピュータにとって分かりやすく記述するための技術です。タグの書き方には規則性があり、スクレイピングするときに知っておいたほうが良いものを2つ紹介します。

1. 開始タグと終了タグがペアになっている

例: <title> タイトル </title>（終了タグは、開始タグに「/」スラッシュがついたもの）

2. タグの中にタグがある、入れ子状態で記述ができる

例: <item> <title> ビジネス+IT 最新ニュース </title> </item>

今回、XMLに関するその他のことについては、プログラムから読み取るだけなので、大雑把に「HTMLとよく似たもの」という認識で問題ありません。

いよいよ、スクレイピングを始めていきますが、最初に大まかな手順を紹介します。

①　スクレイピングをするページをブラウザで開き、取得したい情報が書いてある場所を探す
②　取得したい情報を囲っているタグの名前を、入れ子になっているものも含めて確認する
③　インターネットを通してRSSのページ内容を取得するプログラムを書く
④　RSSのページのデータから、②で確認したタグの名前で検索して、目的のデータを表示するプログラムを書く

以上の手順に沿って、1番から実施していきましょう。今回取得したい情報は、新着ニュース記事のタイトルにします。https://www.sbbit.jp/index2.rss にアクセスして、眺めてみましょう。

ページを見ていくと、`<item>`タグの中にある`<title>`タグで囲われた部分に、記事のタイトルが書いてあることがわかります。次に手順3番、4番をプログラムに書くと次のようになります。

Interactive Shell

```
>>> import requests
>>> from bs4 import BeautifulSoup
>>> news_data = requests.get('https://www.sbbit.jp/
        index2.rss') ●────────── rssのサイトにアクセスし、データを取得、変数に格納
>>> soup = BeautifulSoup(news_data.text,
        'html.parser') ●────── データを解析し、スクレイピングするために整理したものを変数に格納
>>> for news in soup.findAll('item'): ●────── 目的のデータを順番に取得し変数に格納
...  tab  print(news.title.text) ●────── 目的のデータの表示
...
国内ITベンダーの売上ランキング2021年版、1位は富士通、アクセンチュアは2桁増
【独自】USEN、新決済サービス「Uペイ」を展開か
PayPayの100億円キャンペーンが正式に終了、開始からわずか10日間
…省略
```

解　説

　1,2行目で、インターネットにアクセスするためのrequests、スクレイピングするためのBeautifulSoupをimportします。3行目で、今回のスクレイピング対象のページのurlを指定し、XMLで表示していたデータを取得して変数news_dataに格納しています。4行目でBeautifulSoupの機能を使い、取得したデータをスクレイピングするためのオブジェクトに変換し、変数soupに格納しています。5行目で使っているfindAllは、引数に渡したタグをすべて探して、結果を返すメソッドです。ここでは、'item'を引数で渡しているので、itemタグで囲ってあるものを全て取得し、for文（➡p.104）の中で変数newsに順番に格納しています。最後の6行目で、newsの中のtitleタグで囲ってあるデータのtext（文字列の意）を表示するというプログラムです。

　少し、最後のfor文のところが難しいので、よくわからなかった人は、プログラムを少し変えて動かしてみましょう。まずはfindAllでitemタグを取得したデータである、変数newsの中身を見てみます。

```
>>> for news in soup.findAll('item'):
... [tab] print(news)
... [tab] print('-------------')
...
<item>
<title>国内ITベンダーの売上ランキング2021年版、1位は富士通、アクセンチュアは2桁増</title>
<link/>https://www.sbbit.jp/article/cont1/23789
        <description>IDC Japanが2021年7月12日に発表した国内ITサービス市場のベンダー売上ラ
        ンキングによると、上位5社は、1位から順に、富士通、NTTデータ、日立製作所、NEC、IBMと
        なった。NTTデータが、3位から2位に順位を上げた。2020年の国内ITサービス市場は前年比2.8%
        減の5兆6,834億円となった。
</description>
<pubdate>Mon, 12 Jul 2021 14:47:00 +0900</pubdate>
</item>
-------------
<item>
<title>【独自】USEN、新決済サービス「Uペイ」を展開か</title>
・・・(省略)・・・
```

画面に出力されるテキストを見やすくするための
補助線を表示しているだけのもの

　　newsの中に<item>タグごとにニュースが順番に格納されて、その都度表示されました。次
に、この<item>タグの中の、<title>タグで囲ってあるタイトルを表示するためには、news.
titleで実行してみます。

```
>>> for news in soup.findAll('item'):
... [tab] print(news.title)
... [tab] print('---------')
...
<title>国内ITベンダーの売上ランキング2021年版、1位は富士通、アクセンチュアは2桁増</title>
---------
<title>【独自】USEN、新決済サービス「Uペイ」を展開か</title>
---------
<title>PayPayの100億円キャンペーンが正式に終了、開始からわずか10日間</title>
・・・(省略)・・・
```

　　<title>タグも含めたニュースのタイトルが表示されましたね。人間が見て文章を理解するた
めに、<title>タグは必要ないので、文章だけ取りたいときに、最初のプログラムで紹介したよ
うに、最後にtextをつけて、「news.title.text」としてタイトルを表示したのでした。

Webサイトをスクレイピングする

　今度はBeautifulSoup4を使って、Webサイトのスクレイピングに挑戦してみましょう。前の節では、プログラムから扱いやすいように作られたRSSを使いましたが、今回チャレンジするWebサイトのHTMLは、人間がブラウザを通して快適に見るためのもので、RSSよりも複雑なため、スクレイピングの難易度はあがります。とは言っても基本的にやることは変わらないので、ひとつずつ見ていきましょう。

　今回は以下の筆者のblogの記事を使います。まずは以下のページをブラウザから開いて眺めてみてください。

▶ 2021年にPlayしたPlayStation Games

　URL　https://www.kamatari.org/blog/2021/best-games-of-2021/

　ブラウザからページを開けたら、このページのHTMLを表示してみましょう。ブラウザで表示しているページの上にマウスのカーソルを置き、右クリックでメニューを表示してください。**ページのソースを表示**をクリックすると、このページのHTMLが表示されます。

Fig　WebページとHTML

　今回は、ブラウザに表示したHTMLを見ながら、Blogに記載しているゲームのタイトルを取得するプログラムを書きます。HTMLを表示しているページを下にスクロールしていくと、167行目から5行おきに<h2　id="数字—ゲーム名"></h2>というタグが見つかるはずです。この<h2>タ

グにゲームのタイトルが囲まれているので、この部分をプログラムから取得できれば良さそうです。

▶ 167行目　青字:h2タグ 赤字:取得するゲームタイトル

```
<h2 id="1-death-stranding-directors-cut">1. DEATH STRANDING
    DIRECTOR&rsquo;S CUT<a hidden class="anchor" aria-hidden="true"
    href="#1-death-stranding-directors-cut">#</a></h2>
```

ちなみに、h2タグの中に、aタグが入っている「入れ子」の構造になっています。
実際のプログラムは次のようになります。

Interactive Shell

```
>>> import requests
>>> from bs4 import BeautifulSoup
>>> game_ranking_html = requests.get('https://www.kamatari.org/blog/2021/
        best-games-of-2021/')
>>> soup = BeautifulSoup(game_ranking_html.text, "html.parser")
>>> for game in soup.findAll('h2'):
... [tab] print(game.text)
...
1. DEATH STRANDING DIRECTOR'S CUT#
2. Ghost of Tsushima Director's Cut#
3. フィスト 紅蓮城の闇#
4. LOST JUDGMENT:裁かれざる記憶#
5. ファイナルファンタジーVII リメイク インターグレード#
6. ライダーズ リパブリック#
```

 解 説

　プログラム自体は、前節のRSSのスクレイピングとほとんど同じです。異なるのは、情報を取得する先のURLと、findAllメソッドで取得したタグが、今回は「h2タグ」になったことくらいです。

開発者用ツールでHTMLを見る

　今回使用したWebページのHTMLは、「シンプルになるように」と筆者個人が立ち上げたサイトなので、比較的見やすいと思いますが、実際にみなさんがスクレイピングを試してみたいようなWebページのHTMLは非常に複雑になっています。Webページには多くの広告や、Webページを訪れた人の情報を取得しようとする仕掛けなどが施されているので、取得したい情報をHTMLのページの中から目視で探すのはなかなか大変です。そんな時に活用してほしいのが、ブラウザに標準で用意されている開発者用ツールです。

　それぞれのブラウザでの開発者用ツールの起動方法は次の通りです。確認したいWebサイトを表示した状態で実行してください。

▶ **Chromeの場合（デベロッパーツール）:**
　Windows：キーボードの一番上の行にある F12 キーを押す
　Mac：command + option + I キーを同時に押す

▶ **Safariの場合（"開発"メニュー）:**
　Safariの環境設定から詳細タブの、「メニューバーに"開発"メニューを表示」を有効にしてから
　Mac：command + option + U キーを同時に押す

Fig　設定方法（Mac）

スマート検索フィールド：	☐ Webサイトの完全なアドレスを表示
アクセシビリティ：	☐ これより小さいフォントサイズを使わない： 9 ∨
	☐ Tabキーを押したときにWebページ上の各項目を強調表示
	Option+Tabキーで各項目を強調表示します。
リーディングリスト：	☐ 記事をオフラインで読むために自動的に保存
スタイルシート：	未選択
デフォルトのエンコーディング：	日本語（Shift JIS）
プロキシ：	設定を変更...
	☑ メニューバーに"開発"メニューを表示

　本書ではChromeのデベロッパーツールを例に見ていきます。デベロッパーツールを開くと、画面の下か、右に開発ツールが表示されます。開発ツールの上部にあるメニューの一番左にある矢印アイコンをクリックすると、普段見ているWebページの任意の場所がHTMLのどこに書かれているのをハイライトしてくれるモードになります。

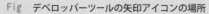
Fig　デベロッパーツールの矢印アイコンの場所

このモードの状態でマウスのカーソルを、調べたい要素に合わせてクリックすると、デベロッパーツールの中に表示されているHTMLの該当部分がハイライトされます。この方法で大抵のページにおいて、気になる場所のHTMLを調べることが出来ます。

Fig　SBクリエイティブ社の書籍情報ページのHTMLをのぞいてみる

このようにデベロッパーツールを使って、必要な情報がある場所のHTMLタグを調べ、プログラムに落とし込んでいくという流れで、だいたいのWebページのスクレイピングをすることができます。

◆ スクレイピングに関する注意

スクレイピングをするプログラムは、ちょっとしたことで、正しく動かなくなります。例えば、Webサイトのデザインリニューアルや、何か少し仕様が変わると、画面を構成しているHTMも変わりますので、変更前と同じプログラムで情報を取得できなくなるのです。その場合はまたHTMLを調べて、プログラムを修正する必要があります。

また、こちらのほうが重要ですが、よくスクレイピングをされるようなサイトには、サイトの利用規約に、スクレイピングをすることを禁止している場合もあります。例えば最も有名なECサイトであ

るAmazonも、商業目的などでデータを抽出する行為を許諾していない旨が規約に書かれていますので、スクレイピングをする際は、そのサイトの規約を読み違反しないように気をつけましょう。

HTMLのclassとその探し方

実際にECサイトやホームページのHTMLをのぞいてみると、ほとんどのHTMLタグには「class」が指定してあります。

▶ classの指定例

```
<p class='クラス名'>欲しい情報</p>
```

HTMLのclassは、Pythonのクラスとは全く別のもので、HTMLのタグを、より細かく識別するためのものです。HTMLタグの種類だけでは、現代のWebサイトの様々な情報を表現しきれないので、タグとclassを組み合わせて使うことで、特定のclassだけデザインを変えて強調する場合などに使われています。

▶ 例　ビジネス＋ITのHTML
URL https://www.sbbit.jp/

Fig　ブラウザ表示

アマゾンも分割？店舗とECで分社化？
米小売業で「企業分割」議論のワケ
2022/01/18

流通・小売業IT

Fig　HTML（classタグ）

```
<p class="co-article_card__contents--event">…</p>
<p class="co-article_card__contents--title js-tru
ncator" style>アマゾンも分割？店舗とECで分社化？米小
売業で「企業分割」議論のワケ</p> == $0
```

HTMLのclassを検索する機能はもちろんBeautifulSoup4にありますが、一つポイントがあります。classの指定方法です。例であげたニュース記事のタイトルを取得するプログラムは次のようになります。

```
>>> import requests
>>> from bs4 import BeautifulSoup
>>> html = requests.get('https://www.sbbit.jp/')
>>> soup = BeautifulSoup(html.text, 'html.parser')
>>> soup.find(class_='co-article_card__contents--title js-truncator').
        string
'良い結果が出ても喜んではダメ？ 超一流に学ぶ「自分のホメ方」'
```

　BeautifulSoup4のfindメソッドを使って、classを指定していますが、よく見ると「class」の後ろに「_」(アンダースコア)がついているのに気づいたでしょうか？これは誤植ではなく、Pythonの中で予約語(➡p.54)になっているclassを使わずに、「class」を検索するためのBeautifulSoup 4 の苦肉の策です。スクレイピングで、classを指定したい時は、class_を使うことを覚えておいてください。

6-5

外部ライブラリモジュールを
自分で作ってみる

ここまで、さまざまな外部ライブラリを使って、画像を変換したり、インターネットに接続して情報を取得したりと、いろいろなことに挑戦してきました。魔法のような外部ライブラリたちでしたが、魔法ではありません。私たちがこれまでに書いてきたプログラムと同様に、外部ライブラリもまたプログラムで作られたカタマリなのです。

　この章の最初のほうで、誰でもライブラリを作ることができると紹介しました。ここでは、非常にかんたんなものではありますが、実際に自分でライブラリを作り、それをプログラム内でimportキーワードを使って、読み込み、実際に使うところまでを一緒にやってみましょう。ここまでできるようになれば、皆さんもライブラリの作者です。今までにこの書籍で紹介した外部ライブラリを使っていて、「複雑すぎるな...」とか「もっとこういう機能はないのかな？」と感じたことがあれば、それが新しいライブラリを作るきっかけになります。

　実際に、既存の多くのライブラリも、そのようなちょっとしたきっかけから作られています。自分のために最初は作ったけど、他にも必要な人がいるかもしれないと、インターネットに公開したことで、有名なライブラリに発展していったものも多いのです。

　なお、ライブラリにはパッケージとモジュールがありますが、ここではモジュールを作っていきます。

 ### モジュールの作り方

　「モジュールを作る」というといかにも難しそうですが、ただ作るだけなら難しいことはありません。かんたんにまとめると、

1 モジュールにしたい処理をファイルに書く
2 1 で作った処理を好きな名前で保存する

このたった2つの手順だけでモジュールを作ることができます。実際にプログラムを書いて試してみましょう。エディタを開いたら次のプログラムを書いて、newyear1.pyというファイル名で保存してください。

```
print('happy new year !!')
```

　これで「newyear1」という名前のモジュールが1つ、もうできてしまいました。次は、このモジュールを読み込んでみましょう。ファイルを保存したのと同じ場所で、インタラクティブシェルを起動してください。モジュールを読み込むときにはnewyear1.pyという名前でファイルを保存したので、newyear1をimportします。

Interactive Shell

```
>>> import newyear1 ↵
happy new year !!
```

　無事に読み込まれました。ただ、読み込んだと同時にモジュールの内容であるprint関数が実行されてしまいました。モジュールを読み込むとき、毎回モジュールの内容が実行されてしまうのはスマートではありません。あらかじめ読み込んでおいて、必要なときに実行するように作りましょう。読み込んだ時に実行されないようにするには、Pythonにあらかじめ用意されている変数__name__を使います。**3-3**でdir関数を紹介したとき「引数なしで実行すると、その場所で使うことができる変数やクラス、メソッドが表示される」と解説しました（dir関数➡p.126）。これを使って__name__が使えることを確認します。インタラクティブシェルを立ち上げて次のように実行してみてください。

Interactive Shell

```
>>> dir() ↵
```

このようにdir関数を引数なしで実行すると、次のように表示されます。

Interactive Shell　出力結果

```
['__builtins__', '__cached__', '__doc__', '__loader__', '__name__', '__
        package__', '__spec__','newyear1']
```

　5番目に__name__があるのが確認できました。さらに、print関数を使って__name__を表示すると、__main__という文字列が入っていることが確認できます。

Interactive Shell

```
>>> print(__name__) ↵
__main__
```

　インタラクティブシェルで実行するときや、ファイルを直接実行するとき、この変数__name__には、「__main__」が入っています。一方、モジュールとしてimportで読み込まれるときには、この変数__name__には、そのモジュールの名前が入ります。試しに確認してみましょう。newyear2.pyを次のように書いて保存してください。

Text　　　　　　　　　　　　　　　　　　　　　　　　　　　⬇ newyear2.py `py`

```
print(__name__)
```

　インタラクティブシェルはいったんexit()で終了して立ち上げ直し、もう一度importしてみます。

Interactive Shell

```
>>> import newyear2 ↵
newyear2
```

　モジュールの名前がnewyear2なので、__name__にnewyear2がセットされ、それがprint関数で表示されています。この機能を使って、作成したモジュールをimportしたときに実行されないようにします。

Text　　　　　　　　　　　　　　　　　　　　　　　　　　　⬇ newyear3.py `py`

```
if __name__ == '__main__':
    print('happy new year !!')
```

　newyear3.pyを作成したら、インタラクティブシェルを立ち上げ直して、importします。

Interactive Shell

```
>>> import newyear3 ↵
>>>
```

importされたnewyear3.pyの中では、変数__name__に、newyear3が入り、if文の中の'__main__'と異なるので、その下のprint文が実行されず、インタラクティブシェルには何も表示されていません。これで、モジュールをimportしてもprint関数が実行されないようにできたことが確認できました。

 ## 少し実用的なモジュールを作ってみる

モジュールの作り方を紹介するために、先ほどはprint関数で文字列を表示するだけの、特に何の役にも立たないモジュールを作りました。今回は、今後皆さんがすてきなモジュールを作るときの参考になるように、かんたんで少し役に立つモジュールを作ってみましょう。月の数字を渡すと、その月の陰暦の名前を返してくれる関数を持ったモジュールです。

まず、次のプログラムをエディタで書いて、monthname.pyという名前でファイルを保存してください。

Text　　　　　　　　　　　　　　　　　　　　　　　　　　　　　⤓ monthname.py　py

```python
def japanese(month):
    month_name = {
        1:"睦月", 2:"如月", 3:"弥生", 4:"卯月", 5:"皐月", 6:"水無月",
        7:"文月", 8:"葉月", 9:"長月", 10:"神無月", 11:"霜月", 12:"師走"
    }
    try:
        response = month_name[month]
    except:
        response = '月の数字を入力してください'

    return response
if __name__ == '__main__':
    print('これはモジュール用のファイルです。importして使ってください')
```

では、この小さなモジュールをプログラムで実際に読み込んで使ってみましょう。monthname.pyがある場所までcdコマンド **5-3「CUIでのパソコンの操作方法」➡p.172** で移動して、インタラクティブシェルを起動してください。

Interactive Shell

```
>>> import monthname ↵
>>> monthname.japanese(1) ↵
'睦月'
>>> monthname.japanese(8) ↵
'葉月'
>>> monthname.japanese(12) ↵
'師走'
```

解説

　このプログラムのポイントは、例外処理（➡p.131）と、辞書型のデータを使っているところです。japanese関数は引数を1つ取得する関数です。引数として渡されるのは月を表す1から12までの数字です。そして、取得した引数monthを元に、辞書型の中を探します。もし辞書型にないキー（1 ～ 12以外）が渡された場合はエラーが発生しますが、処理をtryの中に書いているので、そのエラーはキャッチされ、exceptの中に処理が渡されます。そして、エラーのメッセージである「月の数字を入力してください」が変数responseに入り、そのままresponseをreturnで返して、呼び出し元にその内容を返しています。

　さらに、このモジュールmonthname.pyが、importではなくコンソールで直接実行されてしまった場合を考えて、利用者に向けて警告「これはモジュール用のファイルです。importして使ってください」を表示するようにしています[1]。

Interactive Shell

```
>>> monthname.japanese(15)
'月の数字を入力してください'
>>> monthname.japanese('nyan')
'月の数字を入力してください'
```

　また、インタラクティブシェルを終了し、コンソールでmonthname.pyをそのまま実行しようとすると次のようにメッセージが表示されることも確認できます。

Console

```
$ python monthname.py ↵
これはモジュール用のファイルです。importして使ってください
```

※1　モジュールのファイルを直接実行する方法は、意図する使われ方ではないためです。

1 〜 12の数字であれば、正しく月の名前が返ってきて、それ以外の数字（0や13以上など）や文字列を渡すと、エラーメッセージが表示される小さなモジュールが完成しました。

ライブラリ、パッケージ、モジュールについて

　本文でも学んだ通り、import機能は私たちがPythonでできることを拡張してくれる便利で重要な機能です。このimport機能において、インポートする対象として「ライブラリ」や「パッケージ」、「モジュール」という言葉がよく使われます。4-3「標準ライブラリ」の冒頭でかんたんにイメージを説明しましたが、ここではもう少し詳しくそれぞれについて説明します。なお、ライブラリやパッケージ、モジュールという言葉は、一般的な用語として他のプログラミング言語でも使われますが、ここではあくまでPythonにおいての話であることに気をつけてください。

◆ モジュール

　モジュールとは、xxx.pyという1つのファイルにまとまった機能群を指します。「import xxx」と実行して読み込みます。

書式

```
import （ファイルの名前）
```

◆ パッケージ

　パッケージとは、複数のモジュールを一つのフォルダに入れてひとまとめにしたものです。例えば、packageAというフォルダの中に、module_x.pyやmodule_z.pyという複数のモジュールファイルを入れたものを、「from packageA import module_x」や「from packageA import module_y」として読み込みます。これを読んで、「面倒だから、まとめてパッケージ全体を読み込むのはダメなのか？」と考える方もいると思いますが、これは推奨されていません。まとめて読み込むと、自分が名前を把握していないモジュールも読み込むことになりますので、読み込んだものの中に既存のプログラムで使っている名前と同じものがあったりなど、プログラムのバグのもとになったりするケースがあるからです。

書式

```
import パッケージ名.モジュール名
```

◆ ライブラリ

　ライブラリの定義は厳密には決まっておらず、モジュールやパッケージのことを指す総称として使われています。たとえば標準ライブラリと呼ばれているPythonのcalendarモジュールやtkinterパッケージのプログラムは、Pythonの実装の中では「Library（ライブラリ）」を略した「Lib」というフォルダの中に置かれています。「Lib」フォルダの下にあるモジュールとパッケージを標準ライブラリと呼んでいるということです。

ライブラリのプログラムはどこに置いてあるの？

Pythonにはインポートして読み込んだモジュールやライブラリがどこにあるのかを調べる方法があります。さっそく試してみましょう。次のように探したいモジュールに「`__file__`」を指定してprint関数で表示します。

Interactive Shell

```
>>> import calendar ↵
>>> print(calendar.__file__) ↵
/Library/Frameworks/Python.framework/Versions/3.10/lib/python3.10/
      calendar.py
```

calendar.pyのディレクトリに続けてここで表示された場所に存在する「calendar.py」をインポートしているということがわかります。この「calendar.py」のファイルの中を見ると、標準ライブラリのモジュールのcalendarも、今まで皆さんが本書で学んできたPythonの文法で書かれているソースコードであることがわかります。Pythonを作っているすごい人たちが書いたPythonのプログラムが、皆さんのパソコンの中にあってそれを自由に読むことができると思うと、なんだか楽しい気持ちになりますね。例に挙げたcalendarモジュールから1つだけ紹介すると、うるう年を判定する関数は、次のように1行で簡潔に書かれていることがわかります。

```
def isleap(year):
    """Return True for leap years, False for non-leap years."""
    return year % 4 == 0 and (year % 100 != 0 or year % 400 == 0)
```

いろいろな学びがあると思うので、ぜひ他のプログラムも読んでみてください。なお、この「calendar.py」の名前を変更すると、当然ですがimport calendarができなくなるので気をつけてください。

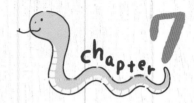

アプリケーションを作ろう

今までターミナルやコマンドプロンプトの画面の中で、インタラクティブシェルを起動し、Pythonでできるさまざまなことを学んできました。この章では、プログラムを書いて、私たちが普段使っている、ボタンやメニューバーがあるGUIのアプリケーションをPythonで作る方法を学んでいきます。

tkinterを使った GUIプログラミング

Pythonには、GUIのアプリケーションを作るためのライブラリtkinter[1]が標準で用意されています。tkinterとは、Tool Kit Interfaceの略で、他の外部ライブラリと同様にimportを使い、tkinterを読み込んで使います。この章では、tkinterを使って、かんたんなGUIアプリを作っていきます。

▶ Python公式のtkinterのページ

`URL` https://docs.python.org/ja/3/library/tkinter.html

tkinterはじめの一歩

tkinterを使ったGUIアプリケーションの作り方をかんたんにまとめると、

1　プログラムからtkinterのモジュールを使ってGUIの画面を作る
2　「 1 で作ったGUIの画面を操作して、どのような処理を実行するか」をプログラムに記述する

という2つの手順に分けられます。

手順の1つ目、プログラムからtkinterのモジュールを使ってGUIの画面を作ってみましょう。

いつものようにインタラクティブシェルを起動し、次の3行を実行してみてください。

Interactive Shell

```
>>> import tkinter as tk ↵
>>> base = tk.Tk() ↵
>>> base.mainloop() ↵
```

※1　tkinterに公式の読み方はないのですが、「ティー・ケー・インター」と呼ばれることが多いようです。「ティー・キンター」と呼ぶ人もいます。

解 説

　1行目でtkinterモジュールをtkとしてimportし、2行目でtkinterからアプリケーションのベースになるTk()クラスをインスタンス化（➡p.139）しています。

```
import tkinter as tk
base = tk.Tk()
```

これを実行したとき、次のような小さな画面が立ち上がったのではないでしょうか。

Fig　tkinterの最初の画面（左：Windows、右：Mac）

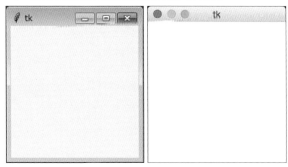

　コンソールを全画面で表示していると、この画面が現れても気づかないかもしれません。いったんコンソールの画面を小さくしたり最小化したりして確認してください。さらに、次のようなアイコンのアプリケーションが立ち上がっていることも確認してください。Windowsではタスクバーに、MacではDocに表示されます。

Fig　アプリのアイコン

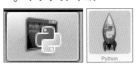

解 説

　最後に実行した一行に含まれるmainloop関数は、このベースとなる画面の表示を維持し続け、この画面に置いた部品に対する操作や、プログラムで書いた処理の画面への反映を、受け付けている状態にしておくメソッドです。

```
base.mainloop()
```

　ただし、インタラクティブシェルで開発しているときには、`mainloop`関数を呼ばなくとも、画面の維持や処理の受け付けは行われています。この`mainloop`関数が必要なのは、ファイルに書き込んだプログラムから実行してアプリケーションを起動するときです。今回のプログラムをファイルに書き込んで実行するとき、3行目の`mainloop`関数を書かなかった場合には、アプリケーションは起動して表示はされますが、画面は維持されずに一瞬で消えてしまいます。

　インタラクティブシェルで実行する分にはbase.mainloop()は不要ですが、この章のゴールで作成するプログラムはファイルに書き込んでpythonコマンドから起動させて使いますので、そのときにもう一度思い出してください。

 ## 部品を画面に置いてみよう

　tkinterでできることを少しずつ確認しながら、使い方を学んでいきましょう。まず、はじめに画面にボタンを置いてみます。先ほどのプログラムで作成したウィンドウはクリックで閉じて、次のプログラムをインタラクティブシェルで入力・実行してください。

```
>>> import tkinter as tk ↵
>>> base = tk.Tk() ↵ ──────────────── 部品を置く画面のベースを用意
>>> button = tk.Button(base, text='PUSH!') ↵ ──── ボタンの情報を設定して、作成
>>> button.pack() ↵ ──────────────────────── 部品の配置
```

　4行目を実行した直後に、次のようなボタンだけが置いてある画面が表示されたでしょうか。表示されていたら、ボタンをマウスでクリックできることも確認してみてください。ただし、クリックしても何も起こりません。クリックしたときの処理を書いたり指定していないためです。ゲームの画面のデザインだけを作っているようなイメージですね。

Fig　buttonが配置された！

258

解 説

　ここで、2つの新しいポイントがあります。1つ目は、ボタンを「どこに配置するか」、2つ目はそのボタンを「どう作るのか」です。まずは1つ目のポイントである「どこに配置するか」です。パソコン上で、どこに配置するかと聞くと、「左端から何センチの場所」とか、「画面の中心」など2次元での位置を思い浮かべる人が多いと思います。もちろんそれもあるのですが、プログラムで画面を作っていくときには、レイヤー（階層）のような概念があります。（デジタルでイラストを描く方はよく知っているかもしれません）プログラムで部品を作成した時には、その部品を何の上に置くかを指定する必要があります。

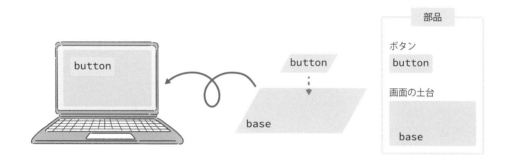

　今回のプログラムの3行目では、tk.Button()の第一引数にbaseと書いています。これは、buttonという部品を、baseという部品の上に置くという指定になっています。次にボタンの作り方を説明します。tkinterでは、部品ごとにクラスが用意されていて、部品の設定項目を引数で渡してインスタンス化することで部品を作ります。書式は次の通りです。

> **書式**
>
> tk.部品のクラス(部品を配置するクラス,設定項目1=XXXX,設定項目2=YYYY,・・・・・・)

　プログラムの3行目で作りたいbuttonを、Buttonクラスからインスタンス化しています。Buttonはtkinterが持つクラスです。今回はtkinterをtkと名前を付けて使っているので、tk.button(引数)と書いて使います。

```
button = tk.Button(base, text='PUSH!')
```

　第1引数には、先ほど説明した部品を置く場所、第2引数以降には部品の設定項目を渡します。部品によって渡すことが出来る引数は違いますが、ここでは1つだけtextという設定項目を渡し

て、ボタンに表示する文字列を設定します。ボタン用のクラスには、他にもボタンのサイズを設定するwidthやheightなど、多くの設定項目があります[※1]。

　ここまで、どのようなボタンにするかという設定を行いました。ただし、この時点では設定しているだけなので、ボタンは表示されません。画面に表示するための処理が、4行目のpack()です。

```
button.pack()
```

　このpackメソッドを実行すると、ベースの画面に、部品を上から順番に並べていきます。試しにいくつかボタンを作って、packメソッドを使って並べてみましょう。
　なお、今回のように、同じような文を何度も繰り返し実行したい場合、↑キーを使って過去の入力を再度表示させ、変更したい箇所（button2の2など）まで左右のカーソルを移動させて変更箇所だけを書き換えて実行するのが便利です。

Interactive Shell

```
>>> import tkinter as tk
>>> base = tk.Tk()
>>> button1 = tk.Button(base, text='push1')
>>> button2 = tk.Button(base, text='push2')
>>> button3 = tk.Button(base, text='push3')
>>> button1.pack()
>>> button2.pack()
>>> button3.pack()
```

Fig　buttonを3つ配置

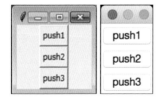

　packメソッドには、「どの位置に置くか」を指定するためのオプションがあります。このオプションを指定することによって、上から順番に並べていく以外の部品の置き方を指定できます。たとえばsideというオプションを使うと、並べる方向が変えられます。

※1　英語の意味通り、widthは幅、heightは高さを示します。

Table sideオプションで設定できる並べ方

設定項目	内容
tk.TOP	上から並べる(デフォルト)
tk.LEFT	左から並べる
tk.RIGHT	右から並べる
tk.BOTTOM	下から並べる

　これを参考に、先ほどのプログラムのpackメソッドを何箇所か変えて、部品の配置を変えてみましょう。

```
>>> import tkinter as tk ↵
>>> base = tk.Tk() ↵
>>> button1 = tk.Button(base, text='push1', width=20).pack() ↵
>>> button2 = tk.Button(base, text='push2').pack(side=tk.LEFT) ↵
>>> button3 = tk.Button(base, text='push3').pack(side=tk.RIGHT) ↵
```

解　説

3行目から見ていきましょう。

```
>>> button1 = tk.Button(base, text='push1', width=20).pack() ↵
```

たったの一行ですが、大きく分けて

1 Buttonクラスをインスタンス化
2 packメソッドを呼び出し
3 button1変数にセット

と、3つの処理を一気に書いています。さらに、処理1でButtonクラスをインスタンス化するときに、引数として「配置するインスタンス」「表示するテキスト」「部品の幅」を指定しています。
　次の2行では、pack()メソッドを呼び出すときにsideオプションで場所を指定しています。

```
>>> button2 = tk.Button(base, text='push2').pack(side=tk.LEFT) ↵
>>> button3 = tk.Button(base, text='push3').pack(side=tk.RIGHT) ↵
```

次の画面のようにボタンが配置されましたか？　実行直後はボタンが行儀良く並んでいるかもしれませんが、ウィンドウを拡大すると、push2ボタンは左端に、push3ボタンは右端にくっついたまま拡大されます。これは、tk.LEFTが「左に詰める」tk.RIGHTが「右に詰める」というオプションだからです。

Fig　buttonを3つ配置

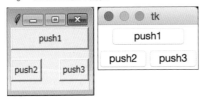

 ## packメソッド以外の場所の指定方法

　部品の場所を指定するためのメソッドは、他にもgridメソッドとplaceメソッドを使う方法があります。

◆ gridメソッド
　gridという単語には格子（グリッド）という意味があります。gridメソッドはExcelの表のようなイメージで、row（行）とcolumn（列）の位置を指定し、部品を置く場所を指定することができます。

Interactive Shell

```
>>> import tkinter as tk
>>> base = tk.Tk()
>>> button1 = tk.Button(base, text='push1')
>>> button2 = tk.Button(base, text='push2')
>>> button3 = tk.Button(base, text='push3')
>>> button1.grid(row=0, column=0)
>>> button2.grid(row=0, column=1)
>>> button3.grid(row=1, column=1)
```

Fig　gridで場所を指定した

　最初にボタンを3つ作成した後、push1ボタンを左上（横0行目、縦0列目）、push2ボタンを push1ボタンのすぐ右（横0行目、縦1列目）、push3ボタンをpush2ボタンの下（横1行目、縦1列目）に配置しました。このように縦にいくつ、横にいくつというようにボタンをたくさん作りたいときに便利なメソッドです。

♦placeメソッド

　次に、placeメソッドを使った方法です。placeは、部品の場所をxとyの座標で指定することができます。

Interactive Shell

```
>>> import tkinter as tk
>>> base = tk.Tk()
>>> button1 = tk.Button(base, text='push1')
>>> button2 = tk.Button(base, text='push2')
>>> button3 = tk.Button(base, text='push3')
>>> button1.place(x=0, y=0)
>>> button2.place(x=50, y=30)
>>> button3.place(x=100, y=60)
```

Fig　placeで場所を指定した

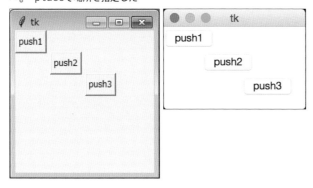

　最初にボタンを作成してしまうところはgridメソッドと同じです。その後、xとyで座標を指定しています。今回のサンプルを見てもわかるように、xは左から何ピクセル離れているか、yは上

から何ピクセル離れているか、というように指定します。なお、このピクセル（pixel）とは、パソコンでよく使われる長さを示す単位の1つです。

◆ 3つの方法の使い分け

　packメソッド、gridメソッド、placeメソッドと3通り、部品を画面に配置する方法を確認してきました。この3通りの方法の使い分けはどうすればよいかというと、基本的にはpackメソッドかgridメソッドを使って部品を配置するのが良いでしょう。なぜなら、他の部品を増やしたり、画面の構成を変えるときに、すでにあるすべての部品の座標の再調整をするのは大変だからです。どうしてもpackメソッドやgridメソッドでは置けない場所に置きたい場合にはplaceメソッドを使うとよいでしょう。

buttonを画面に置いて、ボタンを押したときの反応を作る

　次はボタンを押したときの処理の書き方について解説します。次のように実行してください。

Interactive Shell

```
>>> import tkinter as tk
>>> base = tk.Tk()
>>> def push(): ↵
... [tab] print('MELON !') ↵
... ↵
>>> button = tk.Button(base, text="WATER", command=push).pack() ↵
```

 解　説

　3行目で関数pushを定義しています。

```
def push():
```

　その後、6行目でButtonの設定を行うときにcommandというオプションで、ボタンを押したときに行う処理を指定しています。

```
button = tk.Button(base, text="WATER", command=push).pack()
```

　最後にpackメソッドで配置すると、次のような画面が表示されます。

このボタンを押すと、インタラクティブシェルに次のように表示されますので試してみてください。

 Interactive Shell　出力結果

```
MELON!
```

　表示されている [WATER] というボタンを押すたびに、MELON！という文字列が表示されます。確認ができたら、作成したウィンドウの ⬛ (閉じる) ボタンをクリックして終了してください。今度はこのプログラムを、[WATER]ボタンを押したところからどのような順番で処理が行われるかを解説します。まず画面上のボタンを押すとtk.Buttonメソッドの中の3つめの引数である**command=push**を見ます。これはボタンが押された時に、pushを実行するという意味ですので、同じプログラムの中からpushメソッドを見つけて、pushメソッドが実行されます。pushメソッドが実行されると、そのなかでMELON！を表示する処理が行われます。

 部品の種類を知ろう

　tkinterには、GUIアプリケーションを作るための部品がボタン以外にもたくさんあります。

♦ ラベル

　ラベルとは、文字を表示するための部品です。用途としては、GUIのアプリを使うユーザーに向けて操作の説明を書いておいたり、何かエラーが起きた時にエラーのテキストを表示してユーザーに伝えたりする時などに使われます。ラベルを作るには、次のように実行します。

Interactive Shell

```
>>> import tkinter as tk
>>> base=tk.Tk()
>>> tk.Label(base, text='赤', bg='red', width=20).pack()
>>> tk.Label(base, text='緑', bg='green', width=20).pack()
>>> tk.Label(base, text='青', bg='blue', width=20).pack()
```

Fig　赤・緑・青のラベルが作成された！

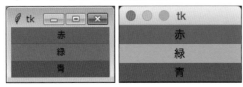

Fig　赤・緑・青のラベルが作成された！

解　説

　ラベルを設置するには、Labelクラスを使用します。設定項目はそれぞれ、textは表示する文字を、bgはbackgroundの略で、背景の色を指定しています。色については、他にも「yellow」「cyan」「magenta」などを指定できるだけでなく、16進数で色を表現するカラーコードも指定することができます。ラベル以外の部品でもbackgroundを設定できるものがあるので、試してみてください。

　widthでラベルの幅、heightで高さを指定することもできます。また、ラベルには文字だけでなく、設定項目「image」で画像を指定して表示させることもできます。画像を表示する方法は、**7-2**のプログラムで解説します。

♦ チェックボタン

　チェックボタンとは、チェックができる四角いボタンです。このチェックボタンの作り方と、値の取得の仕方について解説します。次のように実行してください。

Interactive Shell

```
>>> import tkinter as tk
>>> base = tk.Tk()
>>> topping = {0:'ノリ', 1:'煮玉子', 2:'もやし', 3:'チャーシュー'}
>>> check_value={}
>>> for i in range(len(topping)):
... tab  check_value[i] = tk.BooleanVar()
... tab  tk.Checkbutton(base, variable=check_value[i], text = topping[i]).
          pack(anchor=tk.W)
...
>>> def buy():                                    注文ボタンを押したときに実行する関数の定義
... tab  for i in check_value:
... tab tab  if check_value[i].get() == True:
... tab tab tab  print(topping[i])
...
>>> tk.Button(base, text='注文', command=buy).pack()    注文ボタンの設定と設置
```

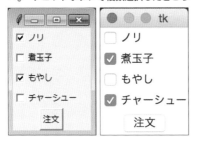

解　説

トッピングの種類を、次のように辞書型のデータとして定義しています。

```
>>> topping = {0:'ノリ', 1:'煮玉子', 2:'もやし', 3:'チャーシュー'}
```

5行目はforを使い、トッピングの数だけ（今回は4つ）繰り返し処理し、チェックボックスをまとめて設定・配置しています。

```
>>> for i in range(len(topping)): ↵
... tab check_value[i] = tk.BooleanVar() ↵
... tab tk.Checkbutton(base, variable=check_value[i], text =
        topping[i]).pack(anchor=tk.W) ↵
```

forの条件が少し複雑ですが、1つずつ見ていきましょう。まずtopping変数の要素の数をlen関数で取得しています。そして、取得した数を、range関数でforの条件として使っています。これで要素の数だけ繰り返せるようになります。（for、range➡p.104）

for文の中の処理（6行目〜 8行目）では、リスト型の変数check_valueに、それぞれのトッピング項目がチェックされているかを保存するために、tk.BooleanVarクラスを設定しています。（リスト型➡p.66）このクラスは、TrueかFalseか、という2つの値のみを扱い、setメソッドとgetメソッドを使って操作することができます。ここでは、チェックボタンが「チェックされていたらTrue」、「チェックが外されていたらFalse」という使い方をします。

今回は「ノリ」や「煮玉子」などのトッピング毎に、チェックされているかを保持しておく必要があります。そのため、ボタンの設定をするプログラム7行目で、check_valueの値（TrueかFalse）を変数variable（第2引数）に格納しています。

そして第3引数のtextには、辞書型変数toppingからキー(0,1など）に応じた要素（ノリ、煮卵など）の名前を設定しています。また、ここで新しいpackの設定項目anchorを使っています。anchorは、packする部品をベース（base）になるウィンドウ（window）のどちら寄りに配置す

るか（どちらに寄せるか）を設定できます。ここで使っているtk.Wは、部品を左に寄せる設定で、WはWest（西）の略です。

ウィンドウを作成した後、buy関数を定義しています。

```
>>> def buy():
```

これは、ボタンを押したときに実行するための関数です。buy関数での処理は、チェックボックスがチェックされているかどうかをすべて確認して、チェックされているものをprint関数で表示するというものです。トッピングごとにチェックされているかどうかの値が変数check_valueに入っており、画面を操作するたびにこの値がtkinterによって書き換えられています。その値をgetメソッドを使って取得し、Trueと比較して確認しています。チェックをつけたり外したり、いろいろな状態で[注文]ボタンを押して、インタラクティブシェル画面に表示されるデータを確認してみてください。

♦ ラジオボタン

ラジオボタンとは、チェックボックスのように選択に使うボタンです。チェックボックスと違うのは、ユーザーに1つだけ選択させるときに使うという点です。2つ以上選択することはできません。このラジオボタンは次のように作ります。

Interactive Shell

```
>>> import tkinter as tk
>>> base = tk.Tk()
>>> radio_value = tk.IntVar()               ──── 整数を入れることができるようにする設定
>>> radio_value.set(1)                       ──── 初期値として、1を設定
>>> lunch = {0:'Aランチ',1:'Bランチ',2:'Cランチ'}
>>> tk.Radiobutton(base, text = lunch[0], variable = radio_value, value = 0)
        .pack()
>>> tk.Radiobutton(base, text = lunch[1], variable = radio_value, value = 1)
        .pack()
>>> tk.Radiobutton(base, text = lunch[2], variable = radio_value, value = 2)
        .pack()
>>> def buy():                               ──── 注文ボタンを押したときの処理を定義
... [tab] value = radio_value.get()
... [tab] print(lunch[value])
...
>>> tk.Button(base, text='注文', command=buy).pack()  ──── 注文ボタンの設定と設置
```

268

解 説

　まずは、ラジオボタンに使うための変数を準備します。プログラムの3行目で変数radio_
valueは、tk.IntVarクラスのインスタンスとして設定されています。IntVarクラスを使うこ
とで、ラジオボタンの特徴である、特定のボタンがチェックされたら、他のボタンのチェックを外
すという変更を管理することができます。

　ラジオボタンを作るには、tk.Radiobuttonを使います。プログラムの6〜11行目で、ボタ
ンの設定項目にはtextとvariableとvalueを設定しています。textはラジオボタンの横に表示
されるテキストを、variableにはラジオボタンを操作したときに、今どのラジオボタンが選択さ
れているかの情報を持っておく変数を指定します。最後のvalueには、指定したラジオボタンの通
し番号を指定しています。

　チェックボタンのときと違うのは、buy関数の処理です。buy関数の処理の1行目に注目してく
ださい。注文ボタンを押す操作によって、「選択されたか」、「選択が外されたか」というような
TrueかFalseかではなく、どのラジオボタンが選択されたかというradio_valueの数字を変数
valueに渡して使っています。

　具体的には、表示されたtkinterの画面のラジオボタンを操作すると、変数radio_value
は、選択された要素によって0、1、2のいずれかに更新されます。変数valueに格納された値を
使って、注文ボタンを押した時点で選択されているランチの種類が表示されるようになっていま
す。

　初期値として、変数radio_valueは1をセットしているので、Bランチが選択された状態で表
示されています。

◆ メッセージボックス

　tkinterには、メッセージボックス(ポップアップする画面)が8種類用意されています。今回
はそのうちのaskyesnoを使って、画面に「yes」「no」の選択肢があるポップアップ画面を表示し
ます。今回のプログラムは、繰り返し実行することで動作を確認してほしいので、テキストファイ
ルにプログラムを書いていきましょう。

```python
import tkinter as tk
import tkinter.messagebox as msg

response = msg.askyesno('大変!!!', '大丈夫ですか?')

if (response == True):
    print('大丈夫')
else:
    print('大丈夫ではない')
```

作成したPythonプログラムのファイルを以下のように指定して実行します。コマンドは、ファイルを置いた場所で入力してください。

Console

```
python yesno.py ●————————————————————————————————— Windows
python3 yesno.py ●————————————————————————————————— Mac
```

実行すると、以下のようなメッセージボックスが表示され、ボタンを選択すると、コンソールにそれぞれに対応したテキストが表示されます。「Yes」「No」それぞれで確認してみてください。

Fig　YES /NOメッセージボックス

解　説

関数askyesnoの第1引数にはメッセージボックスのタイトルを、第2引数にはメッセージボックスの中に表示されるテキストを指定します。

```
>>> response = msg.askyesno('大変!!!', '大丈夫ですか?') ↵
```

270

変数responseには、画面の「Yes」を押すとTrueが、「No」を押すとFalseが返ってくるように
なっています。そのことを利用して「Yes」なら「大丈夫」、「No」なら「大丈夫ではない」と表示
するプログラムでした。

ダイアログには次の8種類のメソッドが用意されていて、表示されるボタンの数や内容が変わり
ます。必要に応じて使い分けましょう。名前からなんとなく推測できるものもありますね。

Table　ダイアログの種類

メソッド名	役割
askokcancel	OK／キャンセル
askquestion	はい／いいえ
askretrycancel	再試行／キャンセル
askyesno	はい／いいえ
askyesnocancel	はい／いいえ／キャンセル
showerror	エラーアイコンとメッセージを表示 （ウィンドウをクローズするためのOKボタンのみ）
showinfo	インフォメーションアイコンとメッセージを表示 （ウィンドウをクローズするためのOKボタンのみ）
showwarning	警告アイコンとメッセージを表示 （ウィンドウをクローズするためのOKボタンのみ）

◆ テキスト入力欄

1行のテキスト入力欄を作るには、Entryというクラスを使います。次のプログラムではウィンド
ウにテキスト入力欄を設置し、その下に入力された文字を表示するラベルを配置するサンプルです。

Interactive Shell

```
>>> import tkinter as tk
>>> base = tk.Tk()
>>> string = tk.StringVar() ↵ ─────────────── 文字列を扱えるようにする
>>> entry = tk.Entry(base, textvariable=string).pack() ↵ ──── 入力欄を作成する
>>> label = tk.Label(base, textvariable=string).pack() ↵ ──── ラベルを作成する
```

解　説

今回は文字を入力するウィンドウを作成したいので、StringVarクラスをインスタンス化してい
ます。StringVarクラスは、入力などで「変化する」文字列を扱うためのクラスです。StringVar
のVarは「変化する」という意味の「variable」から来ています。

その次に、EntryクラスとLabelクラスをインスタンス化しています。Entryクラスはテキストの入力欄を設置するためのクラスです。このとき、それぞれのtextvariableという設定項目に、同じstringを指定しています。このstringは、3行目で生成したtk.StringVarクラスのインスタンスです。このように指定することで、入力欄に書き込んだことがそのまま反映されるラベルができるのです。

Fig　tkinter entry画面

 ## メニューを表示する

　GUIのアプリケーションには欠かせない「メニュー」をtkinterで作る方法を紹介します。tkinterでメニューを作るにはMenuクラスを使います。いつものように次のサンプルを実行してみてください。

Interactive Shell

```
>>> import tkinter as tk ↵
>>> base = tk.Tk() ↵
>>> def fileopen(): ↵
... tab print('ファイルを開く処理') ↵
... ↵
>>> menubar = tk.Menu(base)
>>> filemenu = tk.Menu(menubar)
>>> menubar.add_cascade(label='ファイル', menu=filemenu) ← 縦に展開する項目を追加する
>>> filemenu.add_command(label='ファイルを開く',
        command=fileopen) ─── labelを押すと、def fileopenを実行する
>>> base.config(menu=menubar) ─── メニューバーが作成される
```

 解 説

　それぞれの設定項目が、画面のどこを指定しているのかがわかりにくいので、画像で確認しましょう。このメニュー画面はWindowsでは作成したウィンドウの上部に、Macではデスクトップ画面の上部に表示されます。画面上部のメニューを横に並べていく場所を「メニューバー」、そし

てそのメニューバーから下に伸びていく部分を「カスケードメニュー」と呼びます。カスケードというのは、英語で「滝」を意味しており、メニューが下に伸びていく様が滝と似ているので、そう呼ばれています。

　今回はファイルに関する操作を、カスケードメニューの形式で作成しました。プログラムや解説では、ファイルに関するメニューなので、「filemenu（ファイルメニュー）」と名前をつけています。

Fig　[tk menu]

プログラムを実行すると、次のような動作を行うことができます。

1　メニューバーにある「ファイル」をクリック
2　「ファイルを開く」メニューを表示
3　メニューをクリックすると、filemenu.add_commandメソッドの引数で指定されたfileopen関数を実行
4　「ファイルを開く処理」というテキストを表示

次に、プログラムの処理を上から確認していきます。

　6行目で、メニューバーを作るための変数menubarを定義しています。ここで、tkinterのMenuクラスにbaseを渡しています。

```
>>> menubar = tk.Menu(base) ↵
```

この変数menubarは、メニューの項目を置く場所で、今までに見てきたボタンやラベルにおけるbaseに相当するものです。

　次の行では、先ほどのmenubarを引数としてMenuクラスを実行し、filemenuを作ります。メニューを並べる場所（メニューバー）に、まずファイル系の操作をするためのメニュー（ファイルメニュー）を作る、ということです。

```
>>> filemenu = tk.Menu(menubar) ↵
```

menubarもfilemenuも、同じMenuクラスをインスタンス化したMenuオブジェクトです。Menuを増やす場合、Menuごとにインスタンス化をする必要があります。Menuオブジェクトはさまざまなメソッドを持っていますが、その中の1つであるadd_commandメソッドを使うと、メニューをクリックしたときに表示される項目を追加できます。

```
>>> filemenu.add_command(label='ファイルを開く', command=fileopen) ↵
```

オプションのlabelは表示するテキストを、commandには、このメニューを押したときに実行する関数を指定できます。ここでは、ラベルに'ファイルを開く'を文字列として指定し、コマンドはfileopen関数を指定しました。これにより、メニューのボタンを押すと、自作の関数であるfileopenが実行されます。

これでメニューの「設定」が終わりました。次に、メニューを「設置」していきます。今度はmenubarが持つadd_cascadeメソッドを使い、filemenuをmenubarに関連付けます。
base画面のmenuとして、menubarを設置します。

```
>>> base.config(menu=menubar) ↵
```

メニュー画面の基本的な動作を確認しましたが、他にもいくつかメニュー関連で使える機能を紹介するために、もう1つサンプルプログラムを用意しました。次のプログラムで説明する項目は次の4点です。

▶ GUIアプリによくある、処理をする対象のファイルを開くためのダイアログを表示する方法
▶ メニュー内に罫線を表示する方法
▶ 複数のメニューを表示する方法
▶ 起動したアプリをメニューから終了する方法

```
>>> import tkinter as tk
>>> import tkinter.filedialog as fd
>>> base = tk.Tk()
>>> def open():                              ───── ファイルメニューのopenを押した時に実行する関数
...   tab filename = fd.askopenfilename()    ───── ファイルを選択させるGUIを表示する
...   tab print('open file => ' + filename)
...
>>> def exit():                              ───── ファイルメニューのexitを押した時に実行する関数
...   tab base.destroy()
...
>>> def find():
...   tab print('find ! ')
...
>>> menubar = tk.Menu(base)
>>> filemenu = tk.Menu(menubar)
>>> menubar.add_cascade(label='File', menu=filemenu)   ───── メニューバーにFileを追加
>>> filemenu.add_command(label='open',
        command=open)                                  ───── ファイルメニューにopenを追加
>>> filemenu.add_separator()                           ───── 罫線を追加
>>> filemenu.add_command(label='exit', command=exit)   ─ ファイルメニューにexitを追加
>>> editmenu = tk.Menu(menubar)
>>> menubar.add_cascade(label='Edit', menu=editmenu)   ───── メニューバーにEditを追加
>>> editmenu.add_command(label='find', command=find)   ───── Editメニューにfindを追加
>>> base.config(menu=menubar)                          ───── 今まで設定したメニューのパーツを画面に設置
```

Fig FileメニューとEditメニュー

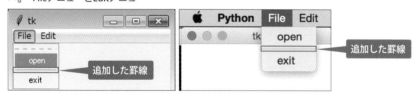

解説

いつものようにtkinterをimportした後、さらにtkinter.filedialogモジュールをimportしています。短くfdと名付けて使いやすいようにしています。

```
>>> import tkinter.filedialog as fd
```

メニューの作り方は先ほどのプログラムと同様です。

4行目で定義しているopen関数の中ではaskopenfilenameメソッドを使っています。

```
>>> def open():
... tab filename = fd.askopenfilename()
... tab print('open file => ' + filename)
...
```

このメソッドを呼び出すと、ファイルを選択するダイアログを表示し、そのダイアログで選択したファイル名を取得します。今回は取得したファイル名をprint関数で表示するようにしています。

add_separatorメソッドを実行することで、メニューの項目に罫線を表示できます。

```
>>> filemenu.add_separator()
```

項目がたくさん増えてきたときなどに使えば、見やすくわかりやすいメニューを作ることができます。

下から5行目では、メニューにexit項目を追加しています。先ほどのopenと同様に、ラベルとしてexitの文字列、コマンドとして上で定義したexit関数を指定します。

```
>>> filemenu.add_command(label='exit', command=exit)
```

少し上にさかのぼって、exit関数を定義している上から8行目を確認すると、baseの画面に対してdestroyメソッドを実行するようにしています。

```
>>> def exit():
tab base.destroy()
...
```

このdestroyメソッドを実行することで、baseによって作られた画面を終了できます。destroyとは「破壊」という意味の英単語です。少しオーバーですが覚えやすいですね。

下から3行目にはeditmenuを定義しています。内容はfilemenuを定義するときと同じです。

```
>>> menubar.add_cascade(label='Edit', menu=editmenu)
```

tkinterの部品の種類を6つ紹介しました。これらを組み合わせたり一部をカスタマイズすることで、かんたんにメニューの項目を増やしたり変えたりできます。

7-2

tkinterと外部ライブラリを組み合わせてアプリを作ろう

textをURLに変換する外部ライブラリqrcodeと、tkinterを使って、QRコードを生成するアプリを作ります。

▼ ここでやること

 ## qrcodeパッケージ

まず、コアの部分になるQRコード画像を生成する外部ライブラリを紹介します。その名もずばり「qrcode」です。

▶ qrcode

URL https://pypi.python.org/pypi/qrcode

PyPIに登録されているので、pipコマンドでインストールしましょう。Macの方はpip3です。また、QRコード画像を生成するために、内部でPillow（➡p.208）を使うので、まだインストールしていない方はあわせてインストールをしておいてください。

Console

```
pip install qrcode ●─────────────────────────────────────── Windows
pip3 install qrcode ●────────────────────────────────────── Mac
```

次のようなメッセージが出ていればインストール完了です。

```
Successfully installed qrcode-7.3.1
```

かんたんな使い方のサンプルを次に示します。グーグルのURLをQRコードに変換して画面に表示するプログラムです。

```
>>> import qrcode
>>> encode_text = 'https://google.com'
>>> img = qrcode.make(encode_text)
>>> type(img)
<class 'qrcode.image.pil.PilImage'>
>>> img.show()
```

Fig　QRコードが作成された！

 解 説

qrcodeのmakeメソッドに文字列を渡すと、画像が生成されます。

```
>>> img = qrcode.make(encode_text)
```

type関数に変数imgを渡してデータの型（type）を確認してみると、Pillowのデータを使っていることがわかります。

```
>>> type(img)
<class 'qrcode.image.pil.PilImage'>
```

imgに対しては、Pillowを紹介するときに説明したメソッドが使えます。このプログラムのように画像を表示することもできますし、saveメソッドを使って保存することもできます（saveメソッド➡p.212）。

 ## QRコード生成プログラム

ここから今まで見てきたtkinterの集大成ともいえるアプリケーションを作っていきます。その前に、完成したアプリケーションがどのような画面で、どのように動作するのかを確認します。

Fig　入力画面

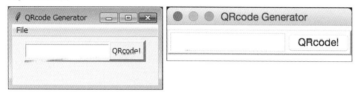

起動直後はシンプルな、1行の入力欄と、ボタンが1つだけの画面です。この入力欄にQRコードにしたいテキストを入力して、ボタンを押すと、次のように画面にQRコードが表示されます。テキストボックスに好きなサイトのURLやテキストを入れてQRコードを生成し、スマートフォンのQRコード撮影アプリなどを使って試しに読み込んでみてください。

Fig　QRコード生成アプリ

また、生成した画像を保存するためのメニューを用意しています。

Fig　メニュー画面

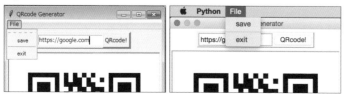

メニューから「save」を選択すると、ファイル保存用のダイアログが表示され、保存する場所と、ファイル名を指定して保存できます。

これから作るもののイメージがわいてきたでしょうか？　それではテキストファイルに書いていきましょう。

Text　　　　　　　　　　　　　　　　　　　　　　　　　⤓ qrcode_generator.py `py`

```
01 import qrcode as qr
02 import tkinter as tk
03 import tkinter.filedialog as fd
04 from PIL import ImageTk
05 base = tk.Tk()
06 base.title('QRcode Generator')
07 input_area = tk.Frame(base, relief=tk.RAISED, bd=2)
08 image_area = tk.Frame(base, relief=tk.SUNKEN, bd=2)
09 encode_text = tk.StringVar()  ●──────── QRコードにする文字列を保持する変数
10 entry = tk.Entry(input_area, textvariable=encode_text).pack(
       side=tk.LEFT)  ●──────── テキスト入力欄の作成
11 qr_label = tk.Label(image_area)  ●──────── QRコードを表示するためのラベル
12 def generate():  ●──────── QRコードの作成と表示
13 ...[tab] qr_label.qr_img = qr.make(encode_text.get())
14 ...[tab] img_width, img_height = qr_label.qr_img.size
15 ...[tab] qr_label.tk_img = ImageTk.PhotoImage(qr_label.qr_img)
16 ...[tab] qr_label.config(image=qr_label.tk_img,width=img_
       width,height=img_height)
17 ...[tab] qr_label.pack()
18 ...
19 encode_button = tk.Button(input_area, text='QRcode!',command=generate).
       pack(side=tk.LEFT)  ●──────── ボタンの作成
20 input_area.pack(pady=5)
21 image_area.pack(padx=3, pady=1)  ──────── フレームを描画
22 def save():
23 [tab] filename = fd.asksaveasfilename
       (title='名前をつけて保存する', initialfile='qrcode.png')
24 [tab] if filename and hasattr(qr_label, 'qr_img'):  ──────── 保存メニュー
25 [tab][tab] qr_label.qr_img.save(filename)
26 ...
27 def exit():
28 [tab] base.destroy()  ──────── 終了メニュー
29 ...
```

```
30 menubar = tk.Menu(base)
31 filemenu = tk.Menu(menubar)
32 menubar.add_cascade(label='File', menu=filemenu)
33 filemenu.add_command(label='save', command=save)         メニュー画面作成
34 filemenu.add_separator()
35 filemenu.add_command(label='exit', command=exit)
36 base.config(menu=menubar)
37 base.mainloop()
```

解 説

　今まで紹介した中で1番行数の多いプログラムですが、基本的には今までに学んできたプログラムの組み合わせなので、1行ずつゆっくり理解していけば大丈夫です！

　最初の4行で、このプログラムで使いたいライブラリをimportしています。それぞれ名称が長いので、2文字で呼び出せるようにしています（ImageTk以外）。

```
01 import qrcode as qr
02 import tkinter as tk
03 import tkinter.filedialog as fd
04 from PIL import ImageTk
```

4行目では、外部ライブラリのPillowから、ImageTkというモジュールを読み込んでいます。処理をしているところでも説明しますが、ImageTkは画像をtkinterで扱える形式に変換するために使います。

　次に、画面のベースを作っていきます。6行目で、baseのtitleを設定しています。これにより、ウィンドウの上部分にアプリの名前「QRcode Generator」が表示できます。

```
06 base.title('QRcode Generator')
```

7行目と8行目ではFrameという新しいクラスを使って新しい部品**フレーム**を作っています。

```
07 input_area = tk.Frame(base, relief=tk.RAISED, bd=2)
08 image_area = tk.Frame(base, relief=tk.SUNKEN, bd=2)
```

Frameクラスをインスタンス化して作るフレーム（枠）は、今までいろいろな部品を載せてきたbaseとほぼ同じように使う部品で、他の部品をひとまとめにして、画面上で配置しやすくするために使います。変数input_areaには、QRコードにする文字列とボタンを置くためのフレームを、変数image_areaには、QRコードの画像を置くためのフレームを定義しています。オプショ

ンのreliefはフレームのデザインです※1。

もう1つの設定項目であるbdは「boderwidth」の略で、フレームの幅を指定する項目です。

9行目では、入力された文字列を保持しておくためStringVarクラスをencode_textとしてインスタンス化し、次の行では、そのencode_textを使って、テキストボックスを作るためのEntryクラスをインスタンス化しています。

```
09 encode_text = tk.StringVar()  ●━━━━━ QRコードにする文字列を保持する変数
10 entry = tk.Entry(input_area, textvariable=encode_text).pack(
       side=tk.LEFT)
```

テキストボックスを置く場所をinput_areaとして指定し、表示内容は上の行で定義したencode_textを指定しています。そしてpackメソッドで、side=tk.LEFTと左からつめて置くように指定しました。これで、文字を入力して使えるテキストボックスができました。

11行目は、このアプリで生成したQRコードを表示させるためのラベルの設定ですが、ここでは、image_areaというフレームに置くということだけを決めています。

```
11 qr_label = tk.Label(image_area)
```

すぐにpackメソッドを使って表示をしていないのは、アプリの作成時点（コードの実行直後）ではlabelに表示する画像がないため、空のlabelが表示されてしまい、見た目がよくないからです。

12行目からはgenerate関数を定義しています。これはQRコードを生成するボタンを押したときに実行する関数です。

```
12 def generate():
13 ... tab  qr_label.qr_img = qr.make(encode_text.get())
14 ... tab  img_width, img_height = qr_label.qr_img.size
```

13行目でQRコードにする文字列をget関数で取得し、qrcodeパッケージのmake関数で、QRコードの画像を生成してqr_labelのqr_imgに入れています。14行目ではそのqr_img、つまりQRコードの高さと幅のサイズを取得しています。見慣れない書き方かもしれませんが、qr_img.sizeが返すのは高さと幅のサイズが格納されたタプル型のデータで、このように=の左辺に変数を,で区切って2つ置くと、それぞれにデータを入れることができます。

※1　ここでは、tk.RAISEDとtk.SUNKENを使いましたが、他にもtk.GROOVEとtk.RIDGEを指定できます。reliefは枠のデザインを指定するオプションなので、bdを同時に指定して枠の幅を持たせないとフレームの見た目が変化しない点に気をつけてください。（詳細➡p.298）

```
neta1, neta2 = ('maguro', 'kappa') ●―――――― neta1にmaguro、neta2にkappa
```

　15行目では、qrcodeパッケージで作られた画像を、tkinterで表示できるデータに変換しています。使っているのは、ImageTkモジュールのPhotoImageメソッドです。

```
15 ... tab  qr_label.tk_img = ImageTk.PhotoImage(qr_label.qr_img)
```

　16行目からは、11行目で定義したqr_labelに対して、各項目を上書きすることで設定しています。設定項目に値を指定するにはconfig関数を使います。

```
16 ... tab  qr_label.config(image=qr_label.tk_img,width=img_width,
                height=img_height)
```

　表示する画像の指定とともに、表示する画像のサイズを、ラベルのサイズに指定しています。サイズを指定しないと、ラベルのサイズよりも大きい画像だった場合ラベルのサイズ分しか表示されませんし、逆に小さい画像だとラベルと画像の間に余白ができてしまいます。
　こうして設定項目を上書きしたqr_labelをpack関数で表示して、generate関数の定義は終わりです。

部品の設定方法

部品に対して設定項目を指定する方法には、次のような3種類の方法があります。

▶ 部品に対して設定項目を指定する3つの書き方

```
label = tk.Label(bg1='red', bg2='blue') ●―――――――――――❶作成時に指定
label.pack()
label.config(bg1='red',bg2='blue') ●―――――――――❷設定項目を後から指定
label['bg1'] = 'red' ┐
label['bg2'] = 'blue' ┘ ―――――――――❸設定項目を後から1つずつ指定
```

このうち、❷の方法は一気に指定できるため、後から上書きする際によく使う方法です。

次に19行目でボタンを定義して、ボタンが押されたらgenerate関数を実行するようにしています。

```
19 encode_button = tk.Button(input_area, text='QRcode!',
        command=generate).pack(side=tk.LEFT)
```

20行目で「QRコードにしたい文字列の入力欄とボタンを置いたinput_areaフォーム」、21行目で「QRコード画像を表示するラベルを載せたimage_areaフォーム」をpack関数で表示しています。

```
20 input_area.pack(pady=5)
21 image_area.pack(padx=3, pady=1)
```

設定項目のpadx、padyは「それぞれのフレームの外側をどれくらいの幅だけあけるか」の幅です。これでQRコードを生成する部分は完了です。

今度はメニュー画面を作ります。作るメニューは、生成した画像を「保存する」機能と、アプリを「終了」する機能です。それぞれsave関数とexit関数を定義します。

save関数の処理は、❶保存したいファイル名を取得して、❷取得したファイル名で保存するという2ステップです。

保存ファイル名を取得するには、プログラムの最初にimportしたtkinter.filedialogを使います。このモジュールの関数を使ってファイルを選択するダイアログを表示する方法は、開くファイルを選択するときにも出てきました（→p.275）。今回は保存するためのファイルなので、asksaveasfilename関数を使います。

```
23 filename = fd.asksaveasfilename(title='名前をつけて保存する',
        initialfile='qrcode.png')
```

asksaveasfilename関数はオプションを指定しなくても使えますが、今回の例では❶ウィンドウのタイトル、❷デフォルトとなる保存ファイル名を指定しています。❶設定項目のtitleはダイアログの上に表示するテキストです。今回はスタンダードに「名前をつけて保存する」としました。❷initialfileに指定した文字列は「保存するファイル名」を入力する欄に入れておくファイル名です。このように指定しておくと、ユーザーが1から入力しなくても済むので便利です。ここまでがステップ❶保存したいファイル名の取得でした。次にステップ❷取得したファイル名で、QRコード画像を保存する処理の説明です。

このとき、ifで2つの条件を確認しています。

```
24 tab if filename and hasattr(qr_label, 'qr_img'):
25 tab tab qr_label.qr_img.save(filename)
```

条件を2つ、andでつないで「AかつBのとき」と一気に判定します。ifの2つの条件判定がどちらもTrueだった場合に限って、qr_imgのsave関数を使ってQRコードの画像を保存します。この条件は「filenameがTrue、かつqr_labelがqr_imgである」という条件です。1つずつ見ていきましょう。

条件の1つ目filenameは、変数filenameに何も文字列が入っていないときにFalseとして認識して、次の処理をスキップするために利用しています。これは、変数filenameに何も入っていない状態で、25行目のメソッドが実行されるとエラーになります。エラーにならないようにするため、filenameにファイル名が指定されていることを確認しています。

条件の2つ目はhasattr関数です。hasattr関数とは、第1引数に、第2引数のattributeが存在するかどうかを確認して、存在すればTrue、存在しなければFalseを返す組み込み関数です。ここでは、qr_labelに文字列qr_imgが存在するかどうかを確認しています。なぜそのようなことを確認するのでしょうか？ qr_imgは、ユーザーがボタンを押すことでgenerate関数が実行され、そこで初めて生成されます（13行目）。

つまり、この条件分岐がないと、何も画像がない場合に、ユーザーがメニューから「save」を選択したとき、25行目のqr_label.qr_img実行時にエラーになります。このようなユーザーの動きは想定外ですが、ありえないことではないので、プログラム上でカバーする必要があるのです。

exit関数は、メニューから「exit」が選択されたときに、すべての部品が置かれているbase画面をdestroy関数で破棄して、アプリを終了するための関数です。

ここまでで、必要な処理はすべてそろいました。後はメニュー画面に部品を配置して完了です。Menuクラスを使ってメニューバーを作り、先ほどのsave関数とexit関数を呼び出せるように設定します。基本的には前に学んだメニュー画面の設定の仕方と同じです（➡p.272）。最後に、この章の初めのほうで解説した、ユーザーからの操作を受け付けるための関数mainloopを呼んで完了です。コンソールからqrcode_generator.pyを実行して起動し、動作の確認が終了したら、アプリのメニューからexitを選択して終了してください。

tkinterとWebAPIを組み合わせてアプリを作ろう

アメリカ合衆国 ニューヨーク州 マンハッタンにある世界最大級の美術館、メトロポリタン美術館の作品をWebAPIで取得し、tkinterで操作、表示するアプリを作ります。

この節では、メトロポリタン美術館のWebAPIを利用して、美術作品をtkinter上で見ることが出来るアプリを作成していきます。まず、メトロポリタン美術館のWebAPIの情報を紹介し、その後tkinterで画面を作り、WebAPIを組み込むという流れでアプリを作成していきます。

 ## メトロポリタン美術館のWebAPIの紹介

メトロポリタン美術館のWebAPIは、47万点以上（2022年1月現在）の作品の情報を取得できるWebAPIです。

▶ **The Metropolitan Museum of Art Collection API**
　URL　https://metmuseum.github.io/

47万点以上あるので、1点ずつじっくり見ていたら1年あっても見きれないほどの量があります。WebAPIでは様々な機能が提供されていますが、本書ではこの後のアプリ作成で利用する一部機能の紹介のみ行います。その他の詳細な利用方法などは、上記の公式ページを確認してください[1]。

いよいよ最後のサンプルです。このサンプルは本書で紹介してきた要素を使った集大成ともいえるプログラムです。これまでのサンプルに比べて、さらに実践的なプログラムにしました。少し難しいと感じるかもしれませんが、その分、しっかりとした機能を持つアプリを作成するので、やりがいもあると思います。1つずつ読み進めていただければきっと理解できるはず！まずは出来るところまでチャレンジしてみてください。

WebAPI自体の基本的な使い方は、6章（➡p.220）で学んだ方法とほぼ同じです。外部ライブラリのrequestsを使い、WebAPIのURLリクエストを投げて、返ってきた情報を確認します。

※1　WebAPIへプログラムでリクエストを投げる回数に気をつけてください。（➡p.231）メトロポリタン美術館のAPIは「1秒間に80回以上リクエストしてはいけない」というひとつの基準が設けられていますが、その数に満たなくても必要以上のアクセスを行わないように気をつけましょう。

基本のURLで情報取得する

まずは、単純にWebAPIのURLリクエストを投げて美術品の情報を取得してみましょう。

▶ **The Metropolitan Museum of Art Collection API**
　　URL https://collectionapi.metmuseum.org/public/collection/v1/objects

このURLにrequestsでアクセスすると、2つの情報を取得できます。

ひとつは、API経由で取得できる作品数を表す「total」、もうひとつが取得できる作品のIDのリスト「objectIDs」です。実際に47万件以上のIDが返ってくるので、リクエストを投げてから返ってくるまで、数秒ほど時間がかかります。ここではtotalの件数のみ表示するプログラムを書いてみます。

Interactive Shell

```
>>> import requests
>>> api_url = 'https://collectionapi.metmuseum.org/public/collection/v1/
        objects'
>>> response = requests.get(api_url)
>>> response_dict = response.json()  ●─────────── json()メソッドで辞書型に変換
>>> response_dict.keys()  ●──────── 辞書型なのでkeysメソッドでキーを確認
dict_keys(['total', 'objectIDs'])
>>> response_dict['total']  ●──────── 取得した情報のtotalの件数を表示
477202
```

response_dictのdictは、dictionaryの略です。変数名に「dict」をつけて、辞書型の変数であることを分かりやすくしています。（辞書型➡p.70）

 美術作品の検索

美術館の作品を、キーワードや絞り込みの条件で検索するAPIが用意されています。利用可能なクエリパラメータ（➡p.222）については、メトロポリタン美術館APIの公式ページに記載がありますが、ここでは2つ、「q」と「hasImages」というパラメータを使います。

qには作品データから検索したいキーワードを指定し、hasImagesはtrueを指定すると画像データが存在する作品に限定してIDを取得できます。

今回は「python」というキーワードで検索し、その中から画像データが存在する作品のID（objectID）を取得します。

🐟 **Interactive Shell**

```
>>> import requests, pprint
>>> search_api_url = 'https://collectionapi.metmuseum.org/public/
        collection/v1/search?'
>>> query_parameter = 'q=python&hasImages=true'   ← APIとして使うクエリの部分の文字列を作成
>>> search_url = search_api_url + query_parameter  ←────── 検索するためのURLを作成
>>> print(search_url)   ←─────────────────────────── 作成したURLを確認
https://collectionapi.metmuseum.org/public/collection/v1/
        search?q=python&hasImages=true
>>> search_response = requests.get(search_url)   ←────── キーワードに該当する作品IDを取得
>>> pprint.pprint(search_response.json())
{'objectIDs': [436098,
               551786,
               472562,
               317877,
               544740,
----(略)----
               437936,
               450761,
               450605,
               435678],
 'total': 89}
```

まず検索用のURLを準備します。4行目で、search_api_urlにクエリパラメータを結合した後、プログラムの6行目でrequestsを使って検索をして、IDを取得しています。pprintを使って取得結果を確認すると、末尾のtotalから、89個取得できたことが分かります。

次に、取得したobjectIDsの中からひとつ選んで、作品の画像を取得しましょう。

🐟 **Interactive Shell**

```
>>> get_object_url = 'https://collectionapi.metmuseum.org/public/
        collection/v1/objects/435864'
>>> object_response = requests.get(get_object_url)   ←────── 作品情報の取得
>>> object_response.json()['objectURL']
'https://www.metmuseum.org/art/collection/search/435864'
>>> object_response.json()['title']
' A Woman with a Dog '
>>> object_response.json()['primaryImageSmall']
'https://images.metmuseum.org/CRDImages/ep/web-large/DP-17613-001.jpg'
```

解説

　取得した89個の`objectID`から適当に「**435864**」を選び、次に個別の作品の情報を取得する
APIのURL（冒頭に紹介した基本のURL）に、数字をつけたURLを用意します。（1行目）

　3、4、5行目のプログラムでは、それぞれ「この作品の詳細のURL」、「作品のタイトル」「作品の
画像URL」を取得し表示しています。最終行のURLをコピーし、ブラウザに張り付けて、作品画像
を見てみてください。（両端の「'」は取ること。）

　このプログラムで取得した作品のタイトルや画像のURLは、次に制作するアプリでも同じ方法
で取得します。どのようなキーが存在していて、何の情報が格納されているのかは、以下のURL
を参照してください。

▶ 例「primaryImageSmall」には、作品の画像のURLが格納されている、など。
▶ メトロポリタン美術館APIの項目
　URL　https://metmuseum.github.io/#object

Fig　Woman with a Dog（APIで取得した画像）

　メトロポリタン美術館の作品を閲覧するアプリ

　いよいよ、`tkinter`とメトロポリタン美術館のAPIを使ったアプリの解説に入っていきます。
今回のプログラムは全部で140行以上と、けっこうボリュームがあるので、まずはこちらのURL
から`mma_viewer.py`をダウンロードしてください。自分のPCでプログラムを実行して、いろい
ろと試してみてください。

▶ サポートページ
　URL　https://isbn2.sbcr.jp/13723/

プログラムを実行すると、アプリが起動するので、テキストボックスにキーワードを入力して
Searchボタンを押してください。メトロポリタン美術館のAPIを通して、作品を検索し、その結
果を表示します。

Fig　アプリの画面

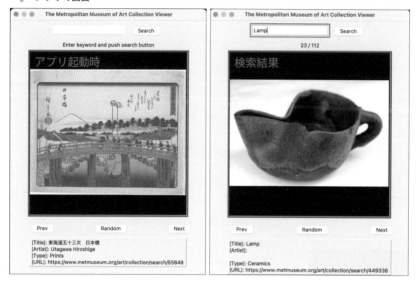

　キーワードは作品の中に登場する「cat」や「dancer」や、作品のタイプである「paintings」な
ど、思いついたキーワードを英語で試してみてください。筆者がいろいろ試したところ、どのキー
ワードで検索しても、だいたい数十以上の作品のID（objectID）は返ってきました。ただ、API
の検索精度があまり高くないようで、検索キーワードと関連が無いように見える作品が取得されて
しまうことも多かったです。今後APIが改良されて、メトロポリタン美術館のホームページに用意
されている作品の検索ツールと、同等の精度が得られると嬉しいですね[1]。NextボタンやPrev
ボタンを押すことで、作品を順番に見ることが出来ます。Randomボタンは、検索した結果の作品
を文字通りランダムな順番で表示するボタンです。

　以上が、このアプリで出来ることになります。

※1　URL　https://www.metmuseum.org/art/collection

アプリプログラムの解説

ここからは、プログラムの解説です。まずはプログラム全体の概要を把握し、そこから少しずつ個別の解説に入っていきます。

パート1. アプリに必要なライブラリの読み込み

パート2. アプリの機能とデザインをまとめたクラス

パート3. アプリの土台になるbaseの設定と設置、MetropolitanAppクラスのインスタンスを生成

Fig プログラム概要図

```
from PIL import Image, ImageTk                          パート1  1〜3行目
import tkinter as tk
import requests, random, io

class MetropolitanApp:                                  パート2  5〜134行目
        def __init__(self, base):
        def searchArt(self):
        def nextArt(self):
        def prevArt(self):
        def selectRandom(self):
        def getArtObject(self, object_id):
        def displayArt(self, object_id):
        def displayArtImage(self, art_object):
        def displayArtInfo(self, art_object):
        def resizeArtImage(self, art_image):

                                                        パート3  137〜142行目
base = tk.Tk()base.title('The Metropolitan Museum of Art Collection Viewer')
base.geometry('500x700')
app = MetropolitanApp(base)
base.mainloop()
```

※クラス（➡p.136）、self（➡p.143）

プログラムの処理が行われるパート1 ⇒ パート3 ⇒ パート2の順番で見ていきましょう。

 ## パート1　アプリに必要なライブラリの読み込み

```
1 from PIL import Image, ImageTk
2 import tkinter as tk
3 import requests, random, io
```

1行目は、6章で紹介したPillow（➡p.208）から、ImageとImageTKをimportしています。美術館APIで取得した画像のURLを元に、アプリ上で画像を表示するために使います。（詳細は後述）

2行目はtkinter、3行目はWebAPIにアクセスするための「requests」、ランダムな数字を得るための「random」をimportしています。そして最後の「io」は、画像をPCに保存せずにtkinterに表示するために利用しています。

 ## パート3　アプリのベースと、クラスのインスタンス生成

```
138 base = tk.Tk()
139 base.title('The Metropolitan Museum of Art Collection Viewer')
140 base.geometry('500x700')
141 app = MetropolitanApp(base)
142 base.mainloop()
```

プログラムを実行すると、パート2のMetropolitanAppクラスではなく、先にこの部分が実行されます。7章で紹介してきた部品の作り方と同様に、138行目でアプリの土台となる部品をbaseで作成し、139行目でbaseのタイトル（ウィンドウの上部に表示）と、140行目でウィンドウのサイズを「500x700」に設定しています。141行目では、インスタンスを生成します。インスタンス生成時に実行されるのが、パート2の部分の__init__関数です。インスタンスが生成され、アプリの初期化処理が実行されます。142行目のbaseでmainloop関数を実行しています。（mainloop関数➡p.256）

 ## パート2
アプリの機能と、デザインの部品（ボタンなど）をまとめたクラス

このクラスでは、__init__関数も含めて、10の関数を定義しています。まずはそれぞれの概要のみを説明します。その後、アプリの操作によって処理が実行される順番に沿って、詳細の解説は最後に行います。

初期化関数
1. def __init__(self, base)
プログラムの中で利用する変数の用意や、アプリの部品の初期配置を行っている初期化関数です。（詳細解説➡p.295）

ボタン操作で実行される関数

2. def searchArt(self)

Searchボタンを押した時に実行される関数です。アプリに入力されたテキストを元に、メトロポリタン美術館のAPIを使い、複数の作品のIDを取得します。また、取得した作品の中から、最初の1作品をアプリに表示するために、関数7（displayArt）を呼んでいます。（詳細解説➡ p.304）

3. def nextArt(self)

Nextボタンを押した時に実行される関数です。メトロポリタン美術館のAPIで取得した複数の作品のうち、アプリで表示している作品の次の作品を画面に表示します。（詳細解説➡p.305）

4. def prevArt(self)

Prevボタンを押した時に実行される関数です。「前の」という意味の「previous」を略してprevとしています。関数3と同様に、アプリで表示している作品の前の作品を画面に表示します。（詳細解説➡p.305）

5. def selectRandom(self)

Randomボタンを押した時に実行される関数です。Searchボタンで検索して取得した作品を、ランダムで画面に表示します。（詳細解説➡p.306）

作品の情報（詳細/画像）を取得する関数

6. def getArtObject(self, object_id)

作品のIDを引数で渡すと、作品の詳細情報をAPI経由で取得してくれる関数です。アプリに作品を表示するタイミングで、1作品につき必ず1回は呼ばれます。（詳細解説➡p.301）

作品の情報（詳細/画像）をアプリに表示する関数

7. def displayArt(self, object_id)

作品のIDを渡すと、作品の情報を取得し、8番（def displayArtImage）と9番（def dsiplayArtInfo）の関数に必要な情報を渡します。（詳細解説➡p.301）

8. def displayArtImage(self, art_object)

作品の情報を引数で渡すと、情報の中から画像URLを取得し、アプリ上に画像を表示する処理を行います。（詳細解説➡p.302）

9. def displayArtInfo(self, art_object)

作品の情報を引数で渡すと、アプリの画面上に表示するテキスト情報を作成して表示します。（詳細解説➡p.302）

画像を加工する関数

10. `def resizeArtImage(self, art_image)`

　画像のデータを引数で渡すと、アプリ上に画像がおさまるように、サイズを修正します。（詳細解説➡p.303）

class MetropolitanAppの詳細解説

　ここでは、MetropolitanAppの操作ごとに、関わっているプログラムの詳細な処理を解説していきます。

[操作1] Pythonコマンドでアプリを起動

[操作2] 検索したいキーワードを入力して、Searchボタンを押す

[操作3] Nextボタン、Prevボタンを押す

[操作4] Randomボタンを押す

［操作1］Pythonでアプリを起動

　アプリを起動した時に、使われる関数は以下の6つです。最初の`__init__`関数の行数が多いですが、アプリの部品をどこに配置するかという初期設定がほとんどです。

順番に6つの関数を解説していきます。

　利用される関数
- `__init__`
- `getArtObject`
- `displayArt`
  - `displayArtImage`
  - `displayArtInfo`
  - `resizeArtImage`

♦ __init__関数（概要解説➡p.292）

```
6   def __init__(self, base):
7       # URLの設定 #7-3冒頭で紹介したAPIのURLを設定
8       self.api_object_url = 'https://collectionapi.metmuseum.org/
    public/collection/v1/objects/'
9       self.api_search_url = 'https://collectionapi.metmuseum.org/
    public/collection/v1/search?'
10
11      # 変数の設定
12      self.total_num = 0 ●─────────────── 検索で取得した作品の件数を格納する変数
13      self.index_num = 0 ●─────────────── アプリに表示する検索結果を管理する番号
14      self.canvas_width = 400 ●────────── canvas(画像を表示する部品名)の幅
15      self.canvas_height = 100 ●───────── canvasの高さ
16      self.art_ids = [] ● 検索で取得した作品IDを格納する、リスト型の変数([]は空のリスト)
17      self.art_info = tk.StringVar() ●─── 作品の情報(作品のタイトルなど)
18                                           を表示する変数
19      # 最初に表示する作品のID
20      default_art_id = 55648 ●─────────── アプリを起動した時にデフォルトで
21                                           表示する作品のID(何でもok)
22      # frameの設定
23      search_frame = tk.Frame(base) ●──── 入力欄とSearchボタンを
                                             並べるためのフレーム
24      control_frame = tk.Frame(base) ●─── 3つのボタンを並べるためのフレーム
25
26      # 検索結果を表示するlabelの設定
27      self.label_text = tk.StringVar() ● 検索で取得した作品件数を表示するラベル
28      self.label_text.set('Enter keyword and push search button')
29      self.label = tk.Label(base, textvariable=
    self.label_text) ● 検索前に表示するテキスト(Enter keyword and push search button)を設定
30
31      # テキストボックスEntryの設定
32      self.entry = tk.Entry(search_frame) ●── 検索したい作品の
                                                キーワードを入力する部品
33
34      # ボタンの設定
35      self.search_button = tk.Button(search_frame, text='Search',
    command=self.searchArt) ●──────────────────────────── 検索するボタン
36      self.random_button = tk.Button(control_frame, text='Random',
    command=self.selectRandom) ●─────────── 検索で取得した作品をランダム表示するボタン
37      self.next_button = tk.Button(control_frame, text='Next',
    command=self.nextArt) ●──────────────────── 次の作品を表示するボタン
38      self.prev_button = tk.Button(control_frame, text='Prev',
    command=self.prevArt) ●──────────────── 前の作品を表示するボタン
39
```

```
40        # canvasの設定と最初に表示する作品の設定
41        self.canvas = tk.Canvas(base, bg='black', borderwidth=5,
          relief=tk.RIDGE, width=self.canvas_width, height=
          self.canvas_height)  ●————————— 作品の画像を表示するための部品
42        response = self.getArtObject
          (default_art_id)  ●————— アプリを起動した時にデフォルトで表示する作品情報をAPIで取得
43        image_url = response
          ['primaryImageSmall']  ●————————— responseの中から作品画像のURLを取得
44
45        # デフォルトの作品画像の表示
46        image_pil = Image.open(io.BytesIO(requests.get(image_url).
          content))  ●————————— 作品の画像URLから、画像データに変換
47        image_pil = self.resizeArtImage
          (image_pil)  ●————————— canvasのサイズに合わせて画像サイズを調整
48        self.photo_image = ImageTk.PhotoImage
          (image_pil)  ●————————— 画像データをtkinterで表示できるように変換
49        self. canvas_number = self.canvas.create_image(self.canvas_
          width/2 + 5, self.canvas_height/2 + 5, anchor=tk.CENTER,
          image=self.photo_image)  ●————— デフォルト画像をcanvasの中心で表示し、
                                          canvasの番号をcanvas_numberに格納する※1
50
51        # 作品の情報を表示するMessageの設定
52        self.artInfoArea = tk.Message(base, relief="raised",
          textvariable=self.art_info, width=
          self.canvas_width)  ●————— Messageをつかって作品情報を表示する場所を設定
53        self.displayArtInfo(response)  ●————— 作品情報(テキスト)を表示する関数
54
55        # 部品の配置の設定  以下は各部品をbaseの上に設置するプログラム
56        search_frame.pack()
57        self.entry.grid(column=0, row=0, pady=10)
58        self.search_button.grid(column=1, row=0, padx=10, pady=10)
59
60        self.label.pack()
61        self.canvas.pack()
62
63        control_frame.pack()
64        self.prev_button.grid(column=0, row=0, padx=50, pady=10)
65        self.random_button.grid(column=1, row=0, padx=50, pady=10)
66        self.next_button.grid(column=2, row=0, padx=50, pady=10)
67
68        self.artInfoArea.pack()
```

※1　canvasを作成したときに、canvasの番号が発行されます。今回、canvasは一つしかないので、数字の1が、
canvas_numberに入っています。

　__init__関数は、インスタンスが生成される時に実行される関数です。(→p.146) 今回の classの__init__関数では、変数の定義、tkinterの部品の設定と設置、アプリの初期設定の ためにいくつかの関数が実行されます。

　簡単なものはプログラム横のコメントで補足しているので、まずは、本書でまだ解説していない tkinterの部品と、画像の処理をしている部分を解説し、その後、いくつかの関数の説明をして いきます。

◆ StringVarについて

　17行目art_infoと27行目label_textという変数にStringVar()を設定しています。 StringVarは、p.269で解説したIntVarと同様に、プログラムで設定した値を、tkinterの画 面に反映させたい変数に使います。作品の情報(作品タイトル)などを表示するart_infoと、作 品の番号を表示するlabel_textはともに、この後解説する各種ボタンを押した時に、表示内容 を反映したいテキストなので、StringVarを設定しています。

```
17 self.art_info = tk.StringVar()
27 self.label_text = tk.StringVar()
```

◆ Entryについて

　tkinterのEntryは、32行目で使われています。テキストボックスと呼ばれ、テキストを入 力することができる部品です。入力したテキストは、Entryのget()メソッドを使うことでプロ グラムから取得することが出来ます。(71行目)

```
32 self.entry = tk.Entry(search_frame)
71 search_art_url = self.api_search_url + 'q=' + self.entry.get() +
       '&hasImages=true'
```

◆ canvasについて

　41行目で利用しているtkinterのcanvasは、tkinter上で画像や、図形を描画できる場所 の部品です。このアプリで利用しているオプションのみ簡単に紹介します。主にデザインの設定な ので、プログラムを変更して、変化を手元のファイルで確認してみてください。

```
41 self.canvas = tk.Canvas(base, bg='black', borderwidth=5, relief=tk.
       RIDGE, width=self.canvas_width, height=self.canvas_height)
```

```
bg  ●———————————————— backgroundの略で、canvas自体の色を指定できます
borderwidth  ●———————————— canvasの外枠の太さです。数字が大きいほど太くなります
width  ●——————————————————————————— canvasの横の長さ
height  ●——————————————————————————— canvasの縦の長さ
relief  ●————————————— canvasの外枠のデザインで、以下の6種類があります
```

Fig　Reliefの種類

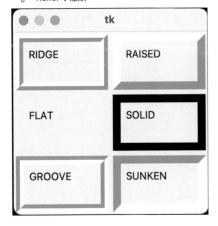

◆ ライブラリのPillowとioについて

　通常tkinterで画像をcanvasに表示する場合、Pillowもioもimportして使う必要はありません。今回46行目でこの2つのライブラリを利用しているのには、それぞれ理由があります。

　Pillowを利用している理由は、メトロポリタン美術館の画像の圧縮形式（フォーマット）が、tkinterが対応していないjpeg形式だからです。jpegの画像を表示するためにPillowを利用しています。

　次に、ioを利用している理由は、tkinterに表示するための画像を毎回PCに保存しなくてすむようにするためです。6章でPillowの紹介をしたときも、PCに画像を保存してから、各種機能の紹介をしていました。表示する画像の枚数が少なければ、保存しても良いのですが、今回のように数十、数百の画像を表示するためだけに、PCに保存をしたくないので、ioライブラリを使って、それを実現しています。

　では、46行目からのライブラリを使っている部分を見ていきます。ただ、少し難しいので、厳密には解説しません。なんとなく行われていることの雰囲気の理解ができればここでは問題ありません。

```
46 image_pil = Image.open(io.BytesIO(requests.get(image_url).content))
```

算数の計算と同じように、()の中から先に処理が実行されるので、そこから見ていきます。

まずrequetsを使って画像URLにアクセスし、jpegのデータをダウンロードしています。取得したデータのcontentは、画像のデータを文字列で表現しているものと考えてください。そして、io.BytesIOを使うことで、このデータを扱いやすい形にしています。

```
requests.get(image_url).content → 「画像のデータを表現する文字列」
io.BytesIO(画像のデータを表現する文字列) → 「扱いやすくなった画像のデータ」
```

そしてこの「扱いやすくなった画像のデータ」を、PillowのImage.openで、Pillowで扱える画像のデータに変換しています。

```
image_pil = Image.open(扱いやすくなった画像のデータ)
```

47行目でimage_pilを、関数resizeArtImageで、canvasにおさまるサイズに縮小します。最後48行目でこの「Pillowで扱える画像のデータ」image_pilを、PillowのImageTkを使い、tkinterで表示できる形式に変換をしています。

```
48 self.photo_image = ImageTk.PhotoImage(image_pil)
```

少しややこしいですが、この手順を踏むことで、tkinterが対応していないjpeg画像をPCに保存すること無く、tkinterの画面に表示することができます。

▶ 公式URL

Requests	URL	https://requests-docs-ja.readthedocs.io/en/latest/api/?highlight=content#requests.Response.content
io	URL	https://docs.python.org/ja/3/library/io.html
ImageTk	URL	https://pillow.readthedocs.io/en/stable/reference/ImageTk.html

◆ Messageについて

tkinterのMessageは、Label(➡p.265)とほぼ同様の部品です。今回は複数行のテキストを表示したかったので、52行目ではLabelではなく、Messageを使います。

```
52 self.artInfoArea = tk.Message(base, relief="raised",
       textvariable=self.art_info, width=self.canvas_width)
```

◆ Frameと部品の配置場所について

56行目で利用しているFrameは、base上につくる枠のようなものです。[※1]アプリの機能的には、あってもなくても変わらないのですが、今回は複数の部品をきれいに配置にするために使いました。Frameの枠で部品を囲うことで、「Frame内はgridで配置」、「Frame外はpackで配置」、というように適用したい部品ごとに、packとgridを使い分け出来るようになります。Frameがない場合、packとgridを同時に使うことができません。

```
55      # 部品の配置の設定
56          search_frame.pack()
57          self.entry.grid(column=0, row=0, pady=10)
58          self.search_button.grid(column=1, row=0, padx=10, pady=10)
59
60          self.label.pack()
61          self.canvas.pack()
62
63          control_frame.pack()
64          self.prev_button.grid(column=0, row=0, padx=50, pady=10)
65          self.random_button.grid(column=1, row=0, padx=50, pady=10)
66          self.next_button.grid(column=2, row=0, padx=50, pady=10)
67
68          self.artInfoArea.pack()
```

まずpackで、以下の部品を上から順に縦一列に並べています。

Fig 縦一列に並べている部品

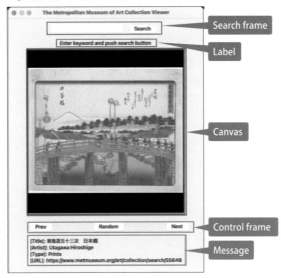

※1 Frameの初期化は、__init__関数の23、24行目で実施。

300

そして、Search Frame内にEntry（入力場所）とButtonの2つの部品を、Control Frame内に3つのButtonをそれぞれ横に並べています。

では、いよいよ__init__関数以外の、[操作1]「Pythonコマンドでアプリを起動」で使われる関数の説明にうつります。

◆ getArtObject関数（概要解説➡p.293）

```
102    def getArtObject(self, object_id):
103        get_object_url = self.api_object_url +
       str(object_id)
104        api_response = requests.get(get_object_url)  ●——— 作品情報の取得
105        return api_response.json()
```

IDを渡すと、そのIDの作品情報をメトロポリタン美術館のAPIを通じて返してくれる関数です。103行目で、APIのURLを作ります。104行目でAPIのリクエストを投げて結果を受け取り、105行目でjson形式に変換して情報を返しています。（美術作品の検索➡p.287）

◆ displayArt関数（概要解説➡p.293）

```
107    def displayArt(self, object_id):
108        art_object = self.getArtObject(object_id)  ●——— 作品情報の取得
109        self.label_text.set(str(self.index_num + 1) + ' / ' +
       str(self.total_num))  ●——— 作品の件数表示
110        self.displayArtImage(art_object)  ●——— 作品画像の表示
111        self.displayArtInfo(art_object)  ●——— 作品情報(テキスト)の表示
```

displayArt関数は、3つの関数をさらに呼んでいます。1つはIDから作品情報を取得する関数（getArtObject）、残りの2つは作品の画像（displayArtImage）と情報（displayArtInfo）をアプリに表示する関数です。それと109行目で、APIの検索結果の件数と、現在表示している作品が何番目の作品なのかをlabel_textでまとめて表示しています。

100作品のうち10番目なら、10/100と表現できますね。self.index_numに1を足しているのは、0から始まるプログラムの配列と、画面に表示している「何番目」の作品かという数字が一つずれているので、そのギャップを埋めるためにこのようにしています。例えば、検索結果が100件だった場合、以下のように件数はどちらも100件ですが、始まりと終わりの数字が、1ずれます。

▷ **アプリ上の表示⇒1 ～ 100**

▷ **プログラムの配列で扱うindex_num⇒0 ～ 99**

total_numは取得した作品の合計数なので、プログラム内での扱いも、アプリの表示上も検索結果が100件であれば同じ100を使います。

♦ displayArtImage関数（概要解説➡p.293）（Pillowとio➡p.298）

```
113    def displayArtImage(self, art_object):
114        image_url = art_object['primaryImageSmall']
115        image_pil = Image.open(io.BytesIO(requests.get(image_url).
       content))
116        image_pil = self.resizeArtImage(image_pil)
117        self.photo_image = ImageTk.PhotoImage(image_pil)
118        self.canvas.itemconfig(self. canvas_number, image=self.
       photo_image)
```

作品情報（art_object）の中から、primaryImageSmall（画像のURL）を使って、画像のデータをダウンロードし、サイズを調整したあと、canvasに画像を表示しています。

118行目ではじめて、「canvas.itemconfig」を利用しています。__init__関数の中で、すでにcanvasという部品は設定と設置が終わっているので、ここではcanvasにすでに表示している画像を書き換えるという処理です。

1つめの引数に、書き換えたいデフォルト画像のcanvas番号（canvas_number（49行目））を、2つめの引数に表示したい作品画像のデータを渡しています。

♦ displayArtInfo関数（概要解説➡p.293）

```
120    def displayArtInfo(self, art_object):
121        art_info_text = '[Title]: ' + art_object['title'] + '\n'
122        art_info_text += '[Artist]: ' + art_
       object['artistDisplayName'] + '\n'
123        art_info_text += '[Type]: ' + art_object['classification'] +
       '\n'
124        art_info_text += '[URL]: ' + art_object['objectURL']
125
126        self.art_info.set(art_info_text)
```

引数で渡された作品の情報の中から、アプリに表示したい情報を変数art_info_textに、順番につなげていって、最後に変数art_infoにset関数を使ってデータを格納しています。アプリの部品でいうと、「Message」に表示するテキストデータを作成している処理です。

ここでひとつ新しいプログラムの記号「+=」を使っています。アルファベットを使って簡単に紹介すると以下の2つのプログラムは、同じ「AB」という文字列をつくる「文字列の連結」をしています。

「A += B」
「A = A + B」

どちらで書いても同じですが、「+=」を使ったほうが、Aを書く回数が1回少ないので便利です。

♦ resizeArtImage関数（概要解説➡p.294）

```
128    def resizeArtImage(self, art_image):
129        if (art_image.width > art_image.height):  ← 横のほうが、縦より長い場合
130            resize_ratio = round(self.canvas_width / art_image.
    width, 2)
131        else:
132            resize_ratio = round(self.canvas_height / art_image.
    height, 2)
133        art_image = art_image.resize((int(art_image.width*resize_
    ratio), int(art_image.height*resize_ratio)))  ●─── 画像のサイズ調整
134        return art_image
```

この関数では、tkinterに設置したcanvasという画像を表示するエリアから作品画像がはみ出さないように、画像のサイズを調整する処理を行っています。

最初に129行目で、作品画像の縦と横のどちらが長いのかを確認しています。長いほうの辺を基準に調整してcanvasに収まるサイズになれば、短い方の辺もcanvasに収まるからです。どちらが長いかを確認した後、canvasの辺の長さを画像の辺の長さで割り算して、比率を求めています。割り算の結果を、round関数をつかって、小数点第二位で丸めています。round（割り算, 2）の数字を変えれば、好きな桁数の結果を得られます。canvasと画像の長辺の比率が計算できたら、resize関数をつかって、画像の長辺と短辺の両方に比率をかけて、サイズを調整し、調整された画像のデータを返却します。（134行目）

［操作2］検索したいキーワードを入力して、Searchボタンを押す

利用される関数は、以下の6つです。searchArt関数のみ、Searchボタンを押した時にしか処理が行われないので、ここで解説します。

利用される関数
- searchArt
- getArtObject
- displayArt
  - getArtObject
  - displayArtImge
  - displarArtInfo

◆ **searchArt関数**（概要解説➡p.293）

```
70    def searchArt(self):
71        search_art_url = self.api_search_url + 'q=' + self.entry.
          get() + '&hasImages=true'                              検索用のURL作成

72        response = requests.get(search_art_url)                入力したキーワードで
                                                                 美術館APIで検索する
73        response_dict = response.json()
74
75        self.index_num = 0                                     初期化
76        # 検索結果の格納
77        self.total_num = response_dict['total']
78        self.art_ids = response_dict['objectIDs']
79        self.displayArt(self.art_ids[0])
```

キーワードで検索して、結果をアプリに表示する関数です。（美術作品の検索➡p.287）

71行目のself.entry.get()で、アプリに入力しているテキストを取得することができます。取得したキーワードとAPIのURLを組み合わせて、検索用のURLを作成します。

72行目で検索した結果を、73行目で変数response_dictに格納しています。response_dictは辞書型のデータで、totalに結果の件数、objectIDsには作品のIDが、リスト型で格納されています。最後の79行目でdisplayArt関数にリスト型のart_idsから最初のIDを渡してアプリに表示しています。

［操作3］Nextボタン、Prevボタンを押す

　利用される関数は以下の7つです。getArtObject関数とdisplayArt関数は、［操作1］で解説したので、nextArt関数と、prevArt関数のみ解説します。

利用される関数
- nextArt & prevArt
- getArtObject
- displayArt
  - getArtObject
  - displayArtImge
  - displarArtInfo

◆ **nextArt関数**（概要解説➡p.293）

```
81    def nextArt(self):
82        self.index_num = self.index_num + 1        次の数字に繰り上げる
83        if (self.index_num > self.total_num -1):
84            self.index_num = 0
85
86        next_art_id = self.art_ids[self.index_num]
87        self.displayArt(next_art_id)
```

　現在表示している作品の次の作品を表示しています。検索結果のindex_numに1を足して、次のindex_numの数字を求めています。総件数よりもindex_numが大きくなったら、最初に戻すためにindex_numを0にセットしています。83行目でself.total_numから1を引いているのは、プログラムで使っている配列（index_num）が0から始まるので、その差の分1を引いています。

◆ **prevArt関数**（概要解説➡p.293）

```
89    def prevArt(self):
90        self.index_num = self.index_num - 1        前の数字に繰り下げる
91        if(self.index_num < 0):                    index_numの値がマイナスでないか確認
92            self.index_num = self.total_num -1
93
94        prev_art_id = self.art_ids[self.index_num]
95        self.displayArt(prev_art_id)
```

基本的にはnextArt関数と同様で、index_numから1を引いて、前の作品のIDを取得していま
す。91行目はindex_numがマイナスになった場合は、検索結果の最後の一番大きなinde_num
の数字を代入して、表示する作品のindexが循環するようにしています。（100作品の場合は、配
列の最大値として数字99が入ります。）

 ［操作4］ Randomボタンを押す

利用される関数は以下の6つです。

利用される関数
- getArtObject
- selectRandom
- displayArt
  - getArtObject
  - displayArtImge
  - displarArtInfo

まだ解説していないselectRandom関数を見ていきます。

◆ selectRandom関数（概要解説➡p.293）

```
97    def selectRandom(self):
98        self.index_num = random.randint(0, (self.total_num-1))
99        art_id = self.art_ids[self.index_num]
100       self.displayArt(art_id)
```

　検索結果の件数の数字よりも小さい数という条件で、ランダムに数字を一つ決めて、その数字の
作品をアプリに表示する関数です。ここで初めて使っているのが、randomのrandint関数です。
プログラムの冒頭でimportしたrandomをプログラムの最後のここで使っています。動作はシン
プルで、random.randint（数字A, 数字B）と書くと、数字A以上、数字B以下のランダムな数
字を返してくれます。

▶ randomライブラリ
　URL　https://docs.python.org/ja/3/library/random.html

まとめ

ここまでアプリの操作ごとに、関連するプログラムにフォーカスして解説してきました。行数は今までで一番多くなりましたが、一つ一つを見ていけば、決して理解できないものではなかったと思います。

また、操作ごとにまとめたプログラムの解説で、同じ関数が何度も利用されていることに気づいていただけたと思います。関数を使わなければ、現状よりもプログラムの行数は増えて、より複雑になっていたという部分も感じていただけていたらうれしいです。

最後にプログラムの全体を掲載しておきます。

🐢 Text　　　　　　　　　　　　　　　　　　　　　　　　　　　　　　　　⬇ mma_viewer.py `py`

```python
from PIL import Image, ImageTk
import tkinter as tk
import requests, random, io

class MetropolitanApp:
    def __init__(self, base):
        # URLの設定
        self.api_object_url = 'https://collectionapi.metmuseum.org/public/collection/v1/objects/'
        self.api_search_url = 'https://collectionapi.metmuseum.org/public/collection/v1/search?'

        # 変数の設定
        self.total_num = 0
        self.index_num = 0
        self.canvas_width = 400
        self.canvas_height = 400
        self.art_ids = dict()
        self.art_info = tk.StringVar()

        # 最初に表示する作品のID
        default_art_id = 55648

        # frameの設定
        search_frame = tk.Frame(base)
        control_frame = tk.Frame(base)

        # 検索結果を表示するlabelの設定
        self.label_text = tk.StringVar()
        self.label_text.set('Enter keyword and push search button')
        self.label = tk.Label(base, textvariable=self.label_text)

        # テキストボックスEntryの設定
        self.entry = tk.Entry(search_frame)
```

```
34          # ボタンの設定
35          self.search_button = tk.Button(search_frame, text='Search',
       command=self.searchArt)
36          self.random_button = tk.Button(control_frame, text='Random',
       command=self.selectRandom)
37          self.next_button = tk.Button(control_frame, text='Next', command=self.
       nextArt)
38          self.prev_button = tk.Button(control_frame, text='Prev', command=self.
       prevArt)
39
40          # canvasの設定と最初に表示する作品の設定
41          self.canvas = tk.Canvas(base, bg='black', borderwidth=5, relief=tk.
       RIDGE, width=self.canvas_width, height=self.canvas_height)
42          response = self.getArtObject(default_art_id)
43          image_url = response['primaryImageSmall']
44
45          # デフォルトの作品の画像の表示
46          image_pil = Image.open(io.BytesIO(requests.get(image_url).content))
47          image_pil = self.resizeArtImage(image_pil)
48          self.photo_image = ImageTk.PhotoImage(image_pil)
49          self.canvas_number = self.canvas.create_image(self.canvas_width/2 + 5,
       self.canvas_height/2 + 5, anchor=tk.CENTER, image=self.photo_image)
50
51          # 作品の情報を表示するMessageの設定
52          self.artInfoArea = tk.Message(base, relief="raised", textvariable=self.
       art_info, width=self.canvas_width)
53          self.displayArtInfo(response)
54
55          # 部品の配置の設定
56          search_frame.pack()
57          self.entry.grid(column=0, row=0, pady=10)
58          self.search_button.grid(column=1, row=0, padx=10, pady=10)
59
60          self.label.pack()
61          self.canvas.pack()
62
63          control_frame.pack()
64          self.prev_button.grid(column=0, row=0, padx=50, pady=10)
65          self.random_button.grid(column=1, row=0, padx=50, pady=10)
66          self.next_button.grid(column=2, row=0, padx=50, pady=10)
67
68          self.artInfoArea.pack()
69
70      def searchArt(self):
71          search_art_url = self.api_search_url + 'q=' + self.entry.get() +
       '&hasImages=true'
72          response = requests.get(search_art_url)
73          response_dict = response.json()
74
75          self.index_num = 0
76          # 検索結果の格納
77          self.total_num = response_dict['total']
78          self.art_ids = response_dict['objectIDs']
79          self.displayArt(self.art_ids[0])
80
```

```
81      def nextArt(self):
82          self.index_num = self.index_num + 1
83          if (self.index_num > self.total_num -1):
84              self.index_num = 0
85
86          next_art_id = self.art_ids[self.index_num]
87          self.displayArt(next_art_id)
88
89      def prevArt(self):
90          self.index_num = self.index_num - 1
91          if(self.index_num < 0):
92              self.index_num = self.total_num -1
93
94          prev_art_id = self.art_ids[self.index_num]
95          self.displayArt(prev_art_id)
96
97      def selectRandom(self):
98          self.index_num = random.randint(0, (self.total_num-1))
99          art_id = self.art_ids[self.index_num]
100         self.displayArt(art_id)
101
102     def getArtObject(self, object_id):
103         get_object_url = self.api_object_url + str(object_id)
104         api_response = requests.get(get_object_url)
105         return api_response.json()
106
107     def displayArt(self, object_id):
108         art_object = self.getArtObject(object_id)
109         self.label_text.set(str(self.index_num + 1) + ' / ' + str(self.total_
    num))
110         self.displayArtImage(art_object)
111         self.displayArtInfo(art_object)
112
113     def displayArtImage(self, art_object):
114         image_url = art_object['primaryImageSmall']
115         image_pil = Image.open(io.BytesIO(requests.get(image_url).content))
116         image_pil = self.resizeArtImage(image_pil)
117         self.photo_image = ImageTk.PhotoImage(image_pil)
118         self.canvas.itemconfig(self.canvas_number, image=self.photo_image)
119
120     def displayArtInfo(self, art_object):
121         art_info_text = '[Title]: ' + art_object['title'] + '\n'
122         art_info_text += '[Artist]: ' + art_object['artistDisplayName'] + '\n'
123         art_info_text += '[Type]: ' + art_object['classification'] + '\n'
124         art_info_text += '[URL]: ' + art_object['objectURL']
125
126         self.art_info.set(art_info_text)
127
128     def resizeArtImage(self, art_image):
129         if (art_image.width > art_image.height):
130             resize_ratio = round(self.canvas_width / art_image.width, 2)
131         else:
132             resize_ratio = round(self.canvas_height / art_image.height, 2)
133         art_image = art_image.resize((int(art_image.width*resize_ratio),
    int(art_image.height*resize_ratio)))
134         return art_image
```

```
135
136
137 # アプリのベースとMetropolitan Appのインスタンスの生成
138 base = tk.Tk()
139 base.title('The Metropolitan Museum of Art Collection Viewer')
140 base.geometry('500x700')
141 app = MetropolitanApp(base)
142 base.mainloop()
```

 ## 美術館アプリをカスタマイズしよう

　今回はプログラムをダウンロードできるので、自分でプログラムを入力する必要はありませんでした。しかし、自分の手で入力して、プログラムを動かしてみるとさらに理解が深まるので、今回のアプリをバージョンアップさせるアイディアを2つ提示しておきたいと思います。実際の開発でも、自分ひとりで1からプログラムを書いて、アプリを作る機会は実はあまり多くありません。すでにある巨大なプログラムを読み解いて、新しい機能を追加したり、既存の部分を修正したりすることが多いので、今回の課題へのチャレンジは、実際の仕事に近い作業かもしれません。ぜひチャレンジしてみてください。

▶ **チャレンジ1　デフォルトの作品画像を変更しよう**
　ヒント「デフォルト」=「初期化関数」

▶ **チャレンジ2　画像の下に表示しているテキスト情報を増やそう**
　ヒント テキスト情報を作成している関数は？
　参考 URL https://metmuseum.github.io/#object

チャレンジ1、2のお手本のコード（mma_challenge_answer.py）は、下記サポートページからダウンロードして確認ください。

▶ **サポートページURL**
　URL https://isbn2.sbcr.jp/13723/

プログラミング能力を上達させるには

　とうとう最後の章、最後のプログラムまで終わりました。お疲れさまでした。いかがだったでしょうか？難しいところも多々あったかと思います。本書は「超」入門ですが、ここまで進んで来た皆さんならば、今後もさらなるトレーニングを重ねることで、着実にレベルアップしていけることと思います。

　プログラミングで上達するための方法はいろいろありますが、筆者が上達のために最も重要な要素だと考えているものを1つ挙げるとすれば、それは「プログラミングを学び続けること」です。当たり前のように聞こえてしまうかもしれませんが、プログラミングを学んでいると、いくつもの挫折ポイント（理解できないこと）と出会うことがあります。そんなときにはぜひ「理解できないこと」は置いておいて、できることから進めてください。いっそ、飽きてしまうようなら、少しの間プログラミングと距離を取ってもよいと思います。でもいつかは戻ってきて欲しいのです。プログラミングには独自の概念がいくつもあり、プログラミング言語によって思想も違います。これらを一度ですべてスムーズに理解できる人は少ないでしょう。

　さらに、プログラミング言語は日々進化していきます。プログラミング言語のバージョンが上がっていき、便利になる一方で、そのぶん複雑になっているのです。筆者もわからないことによくぶつかっていましたし、まだまだ学ぶこともたくさんあります。そんな奥が深い、底の見えないプログラミングですから、すべてを理解できないのは当たり前であると考えて、できるところを進めながら、少しずつでもプログラミングを続けて欲しいなと思っています。そうすると、昔わからなかったことがあるときわかるようになっていることに気づくなど、振り返ってみると以前より上達していたことに気づくことが必ずあるでしょう。筆者たちは普段、すべての漢字を知っているわけではないですし、いろいろな文章テクニックを使いこなしているわけではないですが、文章を書くことができますよね。それと似ているなと筆者は思っています。

Appendix

Appendix1

トラブルシューティング

エラー

開発をしているとかならず発生してしまうのがエラーです。エラーとして表示されているメッセージの意図するところがわかれば、解決までの時間が短くなります。ここには、よく発生するエラーと、その時にどのようなことを見返すとよいかをまとめています。エラーが発生したときなどにチェックしてみてください。

 Python 3.10から少し親切になったエラーメッセージ

なかなかとっつきにくいプログラムのエラーメッセージですが、バージョン3.10から少しだけ分かりやすくなる修正が入りました。

URL https://docs.python.org/3/whatsnew/3.10.html#better-error-messages

例えば、「print」を「printer」と入力してしまったとき、今までは「printerなんて定義されてないよ」というメッセージだけでしたが、3.10から「もしかしてprinterじゃなくて、printじゃない？」というようなメッセージが表示されるようになりました。

```
>>> printer('happy hacking')
Traceback (most recent call last):
  File "<stdin>", line 1, in <module>
NameError: name 'printer' is not defined. Did you mean: 'print'?
```

こういった理由からも、最新のバージョンのPythonをインストールして使ってください。

 SyntaxError

最も基本的なエラーであると同時に、はじめのうちは見つけるのが難しいエラーかもしれません。次のようなときによく発生します。

▶ シングルクォーテーション「'」や、ダブルクォーテーション「"」が閉じられていないとき
▶ forやifの最後に「:（コロン）」をつけ忘れてしまったとき

エラーメッセージに表示された内容をヒントに、どこかに間違いがないかをよく見て確認してみてください。

例えば、テキストを表現するときの最後の「'」を忘れてしまったときのエラーを見てみましょう。

```
>>> text = 'happy hacking
  File "<stdin>", line 1
    text = 'happy hacking
           ^
SyntaxError: unterminated string literal (detected at line 1)
```

エラーが発生するといろいろと表示されて驚くと思うのですが、まずは一番下の行を確認してください。英語が苦手な方は、ブラウザからGoogleの翻訳機能などを開き、エラーの文章をコピペして日本語に直して読んでみましょう。

ここでは、「終了されていない文字列（1行目で検出）」と書いてあります。エラーが発生したら、まずは最後の1文を読んでみることを覚えておいてください。

 # IndentationError

IndentationErrorはインデントのエラーです。Pythonではインデントをチェックされるので、インデントがそろっていないときや、そもそもインデントが入っていないときにこのエラーが発生します。classやdefで定義するとき、forやifを使うとき、それぞれの下の行でインデントが入っていることをよく確認してください。

また、気づきにくいインデントのエラーに、スペースでインデントを入れるべきでないところに、入っているパターンもあります。次の例を見てもわかるように、パッと見では気づきにくいのですが、Pythonは厳密にチェックしているので、気をつけてみてください。

```
>>>  for i in range(10): ↵
  File "<stdin>", line 1
    for i in range(10):
    ^
IndentationError: unexpected indent
```

ちなみに、この例では、forの左側に半角スペースが入ってしまっているのがエラーの原因です。

NameError

存在しない関数や定義していない変数を呼んでしまった時に発生するのがNameErrorです。スペルミスで表示されることもよくあります。

```
>>> printooo('correct!') ↵
Traceback (most recent call last):
  File "<stdin>", line 1, in <module>
NameError: name 'printooo' is not defined
```

また、文字列をシングルクォーテーションや、ダブルクォーテーションで閉じることを忘れてしまったときにも、このエラーが発生します。プログラムが文字列として認識できないためです。

```
>>> print(string) ↵ ←─────────── stringというデータが定義されていないためエラー
Traceback (most recent call last):
  File "<stdin>", line 1, in <module>
NameError: name 'string' is not defined
>>>
>>> print('string') ↵ ←─────────── 文字列であるということをプログラムに伝える
string
```

 ## ImportError

標準ライブラリや外部ライブラリをインポートするときに、インポートしようとして指定したファイルが見つからないなどの場合に発生するエラーです。外部ライブラリの場合、正しくインストールされていなかったり、インストールはされているけど、Pythonから操作できるようにする設定ができていないこともあります。

```
>>> import（ライブラリ名）↵
ImportError: No module named（ライブラリ名）
```

 ## AttributeError

作業をしているフォルダに、インポートしたいモジュールと同じ名前のファイルやフォルダがあると、インポートしたいモジュールではなく、その同名のファイル、フォルダを読み込んでしまいます。Pythonのimportが実行されると、順番として、まず同じフォルダから探しにいくためで

す。読み込んだときにエラーが発生すれば何かがおかしいことに気づきますが、エラーが発生しないこともあります。requestsモジュールを使って確認します。

1 Desktopフォルダにファイルの中身は何も書いていないrequests.pyという名前のファイルを保存する

2 Desktopフォルダでインタラクティブシェルを次のように実行するとAttributeErrorとなる

```
>>> import requests ↵
>>> google_html = requests.get('https://google.com') ↵
Traceback (most recent call last):
  File "<stdin>", line 1, in <module>
AttributeError: module 'requests' has no attribute 'get'
```

1行目で、requestsをインポートした時点では何もエラーは表示されていませんが、次にgetメソッドを実行したときに、エラーが表示されました。エラーの内容を意訳すると、「requestsモジュールは、getというメソッドを持っていません」となります。それもそのはず、先ほど作ったrequests.pyを読み込んでしまっているからです。このファイルはgetメソッドどころかメソッドもデータも何も持っていないので、実行しようがありません。

このことを知らないと、まったく不思議なエラーに見えますよね。特にモジュールの名前はシンプルなことが多いので、シンプルなファイル名をつけるときにはモジュール名とかぶっていないかどうか、注意するようにしましょう。特に、Pythonには「import test」で読み込む標準ライブラリが存在するので、自分で「test.py」というファイルを作ったことがある方は要注意です。

 ## tkinterのDEPRECATION WARNING

tkinterをimportして、何かtkinterのメソッドを使おうとすると次のようなエラーが表示されることがあります。

```
DEPRECATION WARNING:
The system version of Tk is deprecated and may be removed in a future
        release. Please don't rely on it. Set TK_SILENCE_DEPRECATION=1
        to suppress this warning
```

日本語に訳すと、「使おうとしているtkinterのバージョンは将来削除される予定なので、非推奨です」とのことです。この警告メッセージを、設定を変えることで非表示にする方法も提示されていますが、警告を無視せず、指摘されている原因を解消しましょう。

この警告の解消方法はシンプルで、Python自体のバージョンを最新にアップデートすることです。tkinterはPythonに同梱されているライブラリなので、個別に対応せずにPythonごとアップデートしてしまいましょう。個人で利用しているPythonのバージョンを最新にすることに、デメリットはありません。方法は 1-2 Pythonの実行環境を作ろう➡p.5 を参考にしてください。

▶ **ダウンロードURL**
　URL　https://www.python.org/downloads/

Fig　アップデート画面(Windows)

　なお、Pythonのインタラクティブシェルで以下のコマンドにより、tkinterのバージョンを確認することができます。Pythonのバージョンを上げる前後で、数字を確認してtkinterのバージョンがあがったことを確認してみましょう。

Interactive Shell

```
>>> import tkinter
>>> tkinter.Tcl().eval('info patchlevel')
'8.6.12'
```

pipのWARNING

Pythonの外部ライブラリをinstallするために使うpipで、次のようなエラーが表示されることがあります。

```
WARNING: You are using pip version 21.2.4; however, version 21.3.1 is
         available. You should consider upgrading via the '/Library/
         Frameworks/Python.framework/Versions/3.10/bin/python3.10 -m pip
         install --upgrade pip' command.
```

意訳すると「あなたが使っているバージョンのpipは、21.2.4だけど、新しいバージョンの21.3.1が利用できます。バージョンをあげることを検討してください」といっ内容です。

本書で使う外部ライブラリをinstallする回数や利用する機能を考えると、対応しなくとも、特に何も問題はありませんが、丁寧にアップデートするためのコマンドもエラーメッセージに表示されているので、好きなタイミングでアップデートしておきましょう。

表示されているメッセージの後半、**python3 -m pip install --upgrade pip**を実行してください。メッセージでは、Pythonのパス（Pythonが保存してある場所）も含めて書いてありますが、普段コンソールで入力しているpythonと同じものです。（各自のOSや環境によって、Pythonを保存している場所が異なるので、メッセージに表示されるPythonのパスも異なります。）

Console

```
python -m pip install --upgrade pip ●━━━━━━━━━━━━━━━━━ Windows
python3 -m pip install --upgrade pip ●━━━━━━━━━━━━━━━━ Mac
```

再度pipコマンドを実行して、WARNINGが出ないことや、以下のコマンドでpipのバージョンを確認して、WARNINGの中に書いてあったバージョンになっていたら無事アップデートができていることになります。

Console

```
pip --version
pip 21.3.1 from 各自のPCのpipのパス (python 3.10)
```

Appendix2

本書の次のステップ

終わりに

　確かな力が身につくPython「超」入門を最後まで読んでいただきありがとうございます。本書を最後まで、プログラムを実行しながら読んでいただいた方は、次の4つのことを知り、理解しているはずです。

1. Python自体の基本的な使い方
2. Pythonで出来る基本的なこと
3. Pythonのいくつかの外部ライブラリと使い方
4. PythonでGUIアプリを作る方法

　とは言え、まだ自信がないと感じている人も多いと思います。でもそれで何も問題ありません。本を見ながらゆっくりプログラムを入力することが出来ればよいのです。

　これはプロのエンジニアに対する、よくある誤解ですが、プロでも何も参照せずに仕事が完結する事はほとんどありません。調べれば分かることは調べればよいのです。理解していることが重要なのです。何も参照せずにプログラミングが出来るようになることを目指さないでください。

　ただ、その上で、読者の方のなかには、まだまだ目指したいところに到達していないと感じる方もいるかもしれません。もちろん、Pythonやプログラミングの世界は奥深いので、全体からするとこれらの知識が、ほんの一部であることは否定しません。しかし、圧倒的な可能性を持った知識と経験を、すでにみなさんが持っていることを最後に紹介したいと思います。

［可能性1］実現したいことを、調べて理解することができる

　例えば、仕事でMicrosoftのExcelを使っていたとします。Pythonを使って仕事を効率化したいと思った時、ブラウザで「Python excel 効率化」と検索してみてください。非常に多くのページが出てくると思います。それらのページを読んでみると、次のようなことが書いてあるはずです。

1. pipでinstallするライブラリの名前の紹介

2. installしたライブラリの簡単な使い方

　本書で学ぶ前には、わからない単語だらけだったと思いますが、今はpipもライブラリも知っているはずです。まずはinstallして、そのライブラリをインタラクティブシェルでimportして、動かすことが今はできるようになっているはずです。あとは、プログラムで実装したい具体的な作業内容で検索したり、ライブラリの公式のページを調べたりしながら、プログラムを書き始めることが出来ます。

 ［可能性2］さまざまな専門領域へ進むことができる

　Pythonはさまざまな専門領域のプロが使っているプログラミング言語です。それらの専門領域で有用なプログラムを開発するために必要な知識は、大きく分けて次の3つです。

1. Pythonの使い方の知識

2. 専門領域に特化したライブラリとその使い方の知識

3. 専門領域の知識

　みなさんは**1**について理解しているので、あとは自分が興味のある領域の**2**と**3**を学んでいくということになります。全ては紹介できませんが、主な専門分野と有名なライブラリ名をここで紹介したいと思います。これらの事が今後できるようになりたい人は、書籍や動画などの教材を、ここにあるキーワードを元に検索して、学びを深める足がかりにしていただければと思います。

◆ **自然言語処理**

▶ Mecab

URL https://taku910.github.io/mecab/

▶ Janome

URL https://mocobeta.github.io/janome/

◆ **統計や解析**

▶ Jupyter

URL https://jupyter.org/

▶ Pandas

URL https://pandas.pydata.org/

▶ SciPy

URL https://scipy.org/

▶ Numpy

URL https://numpy.org/

◆ **Webアプリケーションの開発**

▶ Django

URL https://www.djangoproject.com/

▶ Tornado

URL https://www.tornadoweb.org/en/stable/

▶ Flask

URL https://flask.palletsprojects.com/en/2.0.x/

◆ **機械学習**

▶ TensorFlow

URL https://www.tensorflow.org

▶ Scikit-learn

URL https://scikit-learn.org/stable/

◆ **画像処理**

▶ OpenCV

URL https://opencv.org/

［可能性3］他のプログラミング言語を素早く理解することができる

　皆さんの人生で今後、趣味や仕事で、Python以外のプログラミング言語の習得が必要、あるいは望ましい状況になる可能性があります。この世にはJavaScript、Ruby、C#、PHP、Javaなど様々な強みを持ったプログラミング言語が存在し、それぞれ今も進化し続けています。さらに、現在は存在しないプログラミング言語が、今後生まれ、最も使われるプログラミング言語になる可能性もあります。

　そんなときでも、本書で学んだ知識は決して無駄にはなりません。先程あげたプログラミング言語の全てに、条件分岐、for文、関数、例外、クラスなどPythonで学んできた機能が存在します。皆さんはそれらを学ぶ時、「Pythonにも存在したこの機能は、この言語ではこのように書くのか」と読みかえるだけで理解ができるのです。

　プログラミングの世界の入り口に立ったみなさんには、多くの可能性が今も広がり続けています。その広い世界の最初の一歩をすでに踏み出していることを誇りに思って、これからもプログラミングに触れ続けていただけたらうれしいです。

Index

■本書サポートページ

https://isbn2.sbcr.jp/13723/

本書をお読みになりましたご感想、ご意見を上記 URL からお寄せください。

■著者紹介

鎌田 正浩（かまた まさひろ）

メーカーでの組込みシステム、メガベンチャーやスタートアップでの自社 Web サービス、VR ヘッドセットの研究など様々な領域でソフトウェアエンジニアとして 10 年以上活躍。開発部門マネージャーや、VP of Engineering などを経て、現在はアジャイルコーチとして、大小様々な開発組織の成果の最大化に注力。趣味は格闘技の練習。

装丁 ·································· 米倉 英弘（株式会社 細山田デザイン事務所）

本文・キャラクターデザイン ······ ふかざわあゆみ

たし ちから み
確かな力が身につく
パイソン ちょう にゅうもん だい はん
Python「超」入門 第 2 版

2022年 3月10日	初版第 1 刷発行
2024年 4月 6 日	初版第 4 刷発行

かまた まさひろ
著者 ····························· 鎌田 正浩

発行者 ··························· 出井 貴完

発行所 ··························· SBクリエイティブ株式会社

〒105-0001　東京都港区虎ノ門2-2-1

https://www.sbcr.jp

印刷・製本 ····················· 株式会社シナノ

組版 ····························· クニメディア株式会社

落丁本、乱丁本は小社営業部にてお取り替えいたします。定価はカバーに記載されております。

Printed in Japan ISBN 978-4-8156-1372-3